文春文庫

竜馬がゆく

(三)

司馬遼太郎

文藝春秋

目次

本書は一九七五年七月に刊行された文春文庫「竜馬がゆく」の新装版です。

竜馬がゆく

（三）

追跡者

高知城下から南へ一里余。

神田、という山村がある。

この山村へ行くのに、ほとんど道らしい道がないために、城下の人は、

——神田の衆の足には道は要らん。野ねずみのように出来ちょるきに。

とわるくちをいった。

その村に、井ノ口村うまれの岩崎弥太郎が居を構えている。構えている、といった家屋敷ではなく、小屋のようなものであった。

この年の二月、すでに二十九歳になっている弥太郎は、十七歳の年わかい嫁をもらった。お喜勢《きせ》といい、眼の涼しげに切れた、利発《きて》そうな女性である。

——鬼瓦みたような弥太郎でも、嫁の来手があったわい。

と同僚が蔭口をいったが、羨望もあったのだろう。鬼瓦には惜しいほどのいい嫁であ

った。お喜勢は、改田《かいだ》村という在所の郷士高芝玄馬の娘で、のちの三菱会社の三代目社長久弥を生んだひとである。

この年五月。

東洋の暗殺事件から五十日経《た》った。

月末は、雨がつづいた。ある宵、日が暮れてからしきりと弥太郎の家の雨戸をほとほととたたく者がある。

「あの、どなた様か。――」

と、新妻のお喜勢が立とうとした。

「わしは他行《たぎょう》していると申せ。夜ふけて他人の家の戸をたたくようなやつは、ろくな用事をもって来くさらんわい」

弥太郎は、台所にかくれた。つまらぬ用を押しつけられたくない。そういう点、お喜勢がびっくりするほど、味も素っ気もない男であった。

せまいふた間きりの家だ。

客は、二人である。

一人は、ほんのこのあいだまで藩の大目付（大監察ともいう）として時めいていた故東洋門下の大崎巻蔵。

もう一人は、身分はひくい。弥太郎と同僚の下横目の井上佐一郎である。

（妙じゃな）

井上はともかくとして、大崎巻蔵のような上士が、弥太郎の家をわざわざ訪ねるなどということは、まずありえない。

（はて、大崎様がわざわざ来られるとは、損な用事か、得な用事か）

台所でひそみながら、判断に弱った。損得どっちにしても、これは大仕事にちがいない。

「えっ、弥太郎は不在ですか」

と、ふすまのむこうから、大崎巻蔵の若々しい声がきこえた。失望の色がある。

「それではお内儀、帰るまで待ちます」

と、大崎はいった。

弥太郎はじつのところ、東洋暗殺の前後、勤王党の動静をさぐるためにずいぶん働いたものだが、その後ほどなく病気と言いたててこの神田村にひっこみ、ずっと役所に出ていない。

利口な男なのだ。新旧両派の対立が将来もっと激化することを見通している。

そういう対立のあいだにはさまれて、人に無用の恨みを買ったり、あるいは大怪我をしたりするのは、ばかばかしいと思ったのだ。

「御内儀、今夜は泊まりこんででも、御亭主の帰りを待ちたいと思いますから、ご迷惑ながら、そのおつもりで」

（ちっ、泊まりこみのつもりで居やがるのか）

台所のすみで、岩崎弥太郎は、弱りきってしまった。これでは、出るに、出られない。

弥太郎は、板敷の上に寝っころがった。もうこうなれば、蚊に食われようがどうしようが、ここで寝こんでしまうことに度胸をきめた。

（大崎の若僧め、新内閣から大目付を免ぜられたくせに、まだ上司風を吹かせくさる）

弥太郎は、こんどの東洋暗殺を機会に、役目を辞してもとの地下《じげ》浪人にもどるつもりでいた。

（おれほどの男が、可哀そうに、三年も下横目の役目をつとめてきたんじゃ、このさき百年つとめたところで、地下浪人あがりの素姓では上士に取りたてられるわけでもない。くだらぬ）

恩人の東洋も死んだ。

もう、たれに遠慮することもない。さっさと下横目の卑役をやめて、自分の才幹を生かせられるような身の振りかたを考えようとおもっている。

——弥太郎ほど、おかしなやつはない。

と、武市半平太がかつて門下生に人物論議をしたことがある。もってうまれた気力胆力が超人的で、そのうえ文字にも明るいくせに、この男だけは、勤王でも佐幕でもないのである。主義めかしいことは一切口にしなかった。興味がないのだろう。

弥太郎に主義があるとすれば、徹頭徹尾、自分主義である。信奉すべきは、天皇でも将軍でもなく、自分であった。べつに我利々々の亡者というのではなく、弥太郎自身、この広い世の中で、岩崎弥太郎ほどすぐれた人間はいないと思っている。心中、信奉するに足ると思っているのだ。

「おや」

と、大崎巻蔵が首をひねった。

台所で、いびきがきこえてくるのである。

「御内儀、あのいびきは？」

「は、はい」

お喜勢はあわてた。

「ねずみでございましょうか」

「ははあ、神田村のねずみは、いびきまでかくのでござるか」

いびきはだんだん大きくなり、ついにはもう、お喜勢もかくしきれなくなって、

「あの、ちょっと」

と立ちあがった。

「あるいは主人が勝手口から帰ってきて、そのまま眠りこんだのかもしれませぬ。見て参りまする」

岩崎弥太郎は、仕方なく、客の前へ出てきた。

「やあ、弥太郎」

「これはこれは大崎様。すこし、出先で振る舞酒に酔い、前後不覚のまま戻りまして」

「左様か」

客は、あいさつもそこそこに、

「さっそくながら、折り入っての頼みがある。吉田東洋様御非業《ごひごう》の一件、いまだに下手人がみつからぬことは、そこもともよく存じておろう。新藩庁は、下手人を存じておりながら、知らぬ顔で探そうともせぬ。——そこで」

と、大崎巻蔵は、扇子《せんす》で弥太郎を指《さ》し、

「そこもとに、頼みたい。いやさ、私はすでに大目付の職にはないが」

じっと、弥太郎の顔をみた。

「弥太郎、つつしみませい」

と、大崎巻蔵は軽く注意の言葉をかけてから、さも大事そうに一通の手紙をひろげた。

「ほう」

弥太郎はのぞきこんだ。

なんと、江戸鮫洲《さめず》の藩邸で隠居する老公容堂の御直筆である。

この当時の幕府の法として、大名の隠居というものは、藩政に対する発言権がない。だからこそこんどの国もとの暴力的な政変に対しても、表面、だまっているしか手がなかった。

が、裏に打つ手はある。

容堂は、江戸から密使をさしくだしたのである。

藩庁に対してではなく、東洋派の上士たちに対してであった。

「天下諸方に人を派し、草の根をわけても東洋暗殺の下手人をさがせ」

と、容堂は手紙で命じている。そのための捜査費も、江戸から送られてきた。

「大崎様。ちょっとうかがいまするが、下手人はたれとおぼしめす」

と、弥太郎は、さぐりを入れた。

「黒幕は武市よ」

と、大崎はいった。城下では、公然の秘密である。

「このことは、老公もよくご存じじゃ。しかしながら、いかに老公でも、下手人をさがし出して動かぬ証拠をおさえねば、武市を成敗《せいばい》するわけには参らない」

「それで、下手人の目星《めぼし》は？」

「その当夜、およびその前に脱藩した四人。つまり、那須信吾、大石団蔵、安岡嘉助、それに本町筋一丁目の坂本のせがれ」

「ははあ、竜馬でございまするな」

「左様」

「お言葉でございまするが、大崎様は、あの坂本をご存じでございまするか」

「知らん」

なんの、郷士づれを知るはずがあるか、という顔つきである。

「それなら大崎様、お疑いもご無理はござりませぬが、あの男、チトただびとではありませぬな。人を殺して一時の政権をにぎろうというような出来の小さな男ではござりませぬ」

「弥太郎、言葉をつつしむがよいぞ」

と、横合いから同僚の井上佐一郎が、忠義づらでいった。

「このこと、上士のお歴々が何度も密会をかさねられ、御熟慮の上できまったことじゃ。われわれの仕事は、かれらを捕えるか、斬るか。それだけでよい。今夜はその御用できている。ぜひ、お受けせい」

（ふん。上士の犬になれ、というのかい）

弥太郎は、ぎょろりと眼をむいたが、

（おもしろい）

ともおもった。上士の連中の犬になるだけならおことわりだが、御隠居の容堂公じきじきのお声がかりとあれば、仕事の性質がちがう。

（やるか）

と思った。容堂公のお耳に自分の名が入れば、ゆくゆく、どういう将来がひらけぬともかぎらぬ。

「請《う》けましょう。出立は、いつがよろしゅうございます」

気魄が、毛穴からふつふつと噴き出るような、そんな顔つきで訊いた。

一方、竜馬。

船で、長州三田尻についた。竜馬は、伝馬で桟橋につくなり、天下におどり出るような気持で、陸地に足をつけた。

「おい、沢村ァ」

と、惣之丞をよんだ。

「いよいよじゃなあ。これからどこへ行くんじゃ。ええ方角に連れてゆけ」

「まあまあ」

と、沢村は分別くさく竜馬をおさえ、

「天下への水先案内人は、吉村寅太郎じゃ。あいつがどこにいるか、さがさにゃ、なにもわからん。まず、吉村さがしからじゃ」

と、歩きだした。

まったく心細いはなしで、せっかく脱藩して「志士」になったものの、このさき、なにをどうしていいか、わからない。

「下関に行きゃァ、吉村の行方《ゆくえ》がわかるような気がする」

「そうかそうか」

竜馬は、うれしそうだ。さきに脱藩して天下の志士とつきあっている吉村が、自分をかれらの仲間に誘い入れてくれるだろう。

要するに、竜馬、沢村の脱藩は、羽前浪士清河八郎、筑後の真木和泉《まきいずみ》、筑前の平野国《くに》臣《おみ》（二郎）らの指導による京都義挙への参加である。この倒幕義挙には、大策士清河らしい秘策があり、九州方面の浪士が、いま、ぞくぞくと京、大坂にむかってあつまりつつあった。

かれらは、薩摩藩の軍勢を待っている。

薩摩藩の事実上の藩主島津久光が、軍兵《ぐんぴょう》千余人をひきいて京都にのぼり、京都の天皇を背景にして幕府の政道を正す、というのである。

その久光を、倒幕派浪士団が、大坂か、伏見で待ってかつぎあげ、一挙に京都で兵をあげようというのである。

もっとも、久光は、その手には乗らない。この当時、まだ幕府は強勢で、久光は、倒幕思想などはもっておらず、こんどの上洛も、武力を背景に江戸政権にむかって強力な発言権をもとうというだけのことであった。

薩軍千余は、三月十六日鹿児島を発し、小倉へ出、そこから藩船天祐丸に乗って、瀬戸内海を東走し、竜馬らが長州三田尻港についたころには、すでに播磨《はりま》（兵庫県）の室《むろの》津《つ》に入港していた。

前記、清河、真木、平野ら浪士団は、大坂の薩摩屋敷で待っている。薩摩藩ではとんだ有難迷惑だが、かれらを激昂させないためにとりあえず藩邸内の二十八番長屋をあけ、宿舎として提供した。薩摩の智者《ちしゃ》堀次郎の案から出たもので、ていのいい軟禁といっていい。

が、竜馬と沢村惣之丞は、そういう情勢がわからず、京、大坂とは逆に、下関にむかって道をいそいでいた。

下関には、藩主毛利侯から名字《みょうじ》帯刀《たいとう》をゆるされた豪商で、白石正一郎というふしぎな人物がいる。

ふしぎな、というのは、商人のくせにこの時代、めずらしく尊王攘夷の志士で、長州藩の過激志士をはじめ、諸藩脱藩浪士をかくまったり、泊めたり、資金をあたえたりして、かげの力になっていた。

吉村は、この白石邸に逗留していたから、そこへゆけば消息が知れようと思ったのだ。

下関に、ついた。

白石正一郎は、山陽道きっての回船業の大問屋である。長州の金蔵《かなぐら》といわれるだけあって、この別邸だけでも諸侯の城館をみる思いがする。

「大きい家じゃのう」

竜馬は感心したが、家が大きすぎて入る気がしない。なんとなく億劫《おっくう》になって、

「惣之丞よ」

といった。

「お前《まん》、いぜんこの家にとまって、ここのあるじを知っちょるじゃろ。入って、土佐の

吉村ァ、どこィ行た、とチクと聞いてくれんか。わしァ、ここで待っちょるきに」

「坂本さん」

沢村は、こまってしまった。

当の竜馬は、路上にべったりとすわりこんでしまっている。ところがそういう竜馬を仲間だとおもったのか、むこうから小牛ほどもある大きな赤犬がのそのそやってきて通りすぎようとした。犬はチラリとふりかえった。

「おい、赤犬」

と竜馬はよんでやった。すると犬は変に馴れなれしくすり寄ってきた。竜馬はひきよせてから、

「惣之丞、こいつと遊んじょる」

沢村はあきれて、一人なかに入った。

「土佐の沢村とおっしゃってください」

と女中にいい、たらいをもってきてもらって足をあらっていると、ほどなく主人の白石正一郎みずからが玄関さきまで出てきて、

「どうぞどうぞ」

と、愛想よく客間へ案内した。色白な、学者肌の人物で、髪は、町人風に結っているが、きちんと仙台平の袴をつけている。

「下関に、侠商《きょうしょう》あり」

というのは、当時、天下の評判になっていた。東西の志士で下関を通過する者はかならずこの白石のもとに足をとめた。白石は乞食道中同然の志士たちを好遇し、金を与え、長州藩に入説《にゅうぜい》しようとする者には、その橋わたしをしてやった（この白石正一郎は維新後べつに官途にもつかず悠々自適し、明治十三年、六十九歳で天寿をおわった。死後、正五位を贈られている）。

「ああ、吉村寅太郎さまのことでございますか」

と白石正一郎はいった。

「残念なことに、もう十日あまりも前、上国《じょうこく》（京坂）にむかって発《た》たれました。あとを追われるならば、明朝、下関を出帆する私どもの便船《びんせん》がございますから、それにお乗りになられてはいかがでございます」

「そうでしたか」

沢村は落胆したが、あとを追ってもまだ義挙に十分間にあうだろうと思い、

「では、便船には二人を」

「おふたり？」

白石正一郎がけげんな顔をした。沢村惣之丞のまわりには、たれもいない。

沢村は、わけを話した。

「そりゃ、ご遠慮なお方で」

と、白石は表へ出た。

おどろいたことに、赤犬、白犬、ぶち、黒など、二、三十頭の犬にかこまれ、犬ころ同然になって路上を這いまわっている大兵《だいひょう》の武士がいる。

（狂人か）

と、最初竜馬をみた白石正一郎は、そうおもったという。

その夜、竜馬と沢村惣之丞は、この俠商の屋敷でとまった。

「妙なお人じゃな」

と、この白石正一郎は、自室にひきとってから、内儀に路上でみた一件を話した。

「なんと、アカと、じゃれおった」

「まあ、アカと？」

内儀もおどろいた。

アカという例の赤犬は、この下関でも獰猛《どうもう》で知られた野良犬《のらいぬ》ではないか。

「アカが、仔犬のように地面に体をすりつけてよろこんでおった。アカだけでない。あの仁《じん》のまわりに野良犬がいっぱいむらがっておったが、奇態な徳人じゃな」

「犬好きなお人でございますか」

「いや、わしも不審に思うて訊いてみると、——わしゃなにも犬ころなんぞ好いちょらんが、とひどい土佐弁で答えなされた。そのあと夕食のときに天下の形勢など談じあうと、眼を輝かせてわしの話をきくばかりで、なにもご存じない。ここにはずいぶん国事奔走の志士をお泊めしたが、ああいう物知らずなお方は、はじめてじゃった」

——しかし。

と、白石正一郎は、語を継いだ。

「えらく魅《ひ》かれるお方じゃな」

「ホホ、左様なら、あなた様も、犬のたぐいではありませぬか」

「ちがいない。犬が感ずる魅力を、人間が感ぜぬはずはあるまい。あの仁は、ゆくゆくきっと大物になりなさる」

「坂本竜馬、とおっしゃいましたな」

内儀もその風変りな名を、胸に刻《きざ》みこむような思い入れで、うなずいた。

竜馬と沢村は翌朝出帆。

途中、海上が荒れた。

待避したり、かと思うと、塩飽《しあく》列島のあたりで異常な凪《なぎ》にあい、数日風待ちをしたりして、摂津西宮《にしのみや》についたのは、文久二年四月二十一日のことであった。

「沢村、事に遅れるかもしれぬな」

と、さすがののんき者の竜馬も、気づかわしそうにいった。

「とにかく、坂本さん」

もう、沢村惣之丞は、竜馬の乾分《こぶん》のような口のききかたである。この男も、ながい道中のあいだに、下関の赤犬のようになってしまったのであろう。

「吉村寅太郎をさがすことですよ。大坂の長州藩邸できけばわかりましょう」

「おお、急げや」

大坂に入り、長州藩邸を訪うたところ、

——土佐の吉村寅太郎は、一時大坂藩邸でかくまっていたが、京へ行った。京のわが藩邸に潜伏しているはずである。

ということであった。

「また、ひと足遅れたか」

沢村は、地団太ふんだが、もはや陽も暮れかけている。

やむなく、心斎橋畔に、沢村の懇意の旅宿があるというので、そこへとまった。

「ここは、西長堀の土佐藩邸に近い。藩の役人につかまると大ごとです。坂本さん、かまえて外出なさらぬように」

と沢村は竜馬に注意したが、竜馬は心斎橋の殷賑《いんしん》にひかれている。

竜馬は、町へ出た。

元来、好奇心のつよいたちである。それに武家育ちのくせに、町人のざわめいているのをみるのが、大好きだった。

(こりァ、にぎやかじゃ)

うきうきした。

心斎橋から、東順慶町筋、新町橋までにいたる三丁のあいだは、夜に入って両側の店にこうこうと灯がかがやき、屋台が出、辻々に香具師《やし》が立って、往《ゆ》き来する人が、ひきもきらない。

竜馬は、黒木綿の紋服に皮色の羽織を着、三田尻で買いもとめた馬乗袴《うまのりばかま》をつけ、大小を無造作に落し差しにして、町人と肩をすりあわせながら、あるいてゆく。

「面白いのう」

一つ一つ、店の品物をのぞきながら、自然と顔が笑えてくるのである。


盛り売りのそば。

焼きまんじゅう。

心斎橋名物の天目酒《てんもくざけ》。

豆腐のみそ田楽《でんがく》。

うなぎのかばやき。

新田屋のきざみ煙草《たばこ》。

扇屋のビンツケ。

絵草紙屋。

——さあさ、ぞめきの折りにちらりとのぞいてごらんよ、と往来に声をかけている好色本売り。

(ほほう)

と感心したのは、あちこちの辻で、「辻打ちの浄瑠璃《じょうるり》」や、物真似、講釈などを演《や》っ
て人を集めている大道芸人の多いことだった。

（さすが、江戸とちがい、商いの都だな）

と、思った。江戸にも寄席《よせ》はあるのだが、大坂ではこういう安直《あんちょく》な露天寄席が多い。

そういうものを、丁稚《でっち》や職人だけでなく、お店《たな》の旦那までが、きいているのである。

吝《しわ》いというか、暮らしの楽しみかたを知っているというか、とにかく、江戸や諸国の城
下町にはない特異な町だった。

竜馬が、新町橋のたもとで、山伏装束の男が、手相を見ているのを人垣の後ろからぼ
んやりのぞきこんでいたとき、

「坂本さん」

と、背後から、押しつぶしたような低い声で、呼びかけた者があった。

「何《なん》ぞ」

とふりむくと、眉太く、眼するどく、口の異様に大きな武士が、にこりともせずに立
っている。

「おう、お前《まん》、岩崎弥太郎ではないか」

なつかしそうに、寄って行った。が、弥太郎は、愛嬌のない面構えで、じりじりと暗
がりへさがってゆく。

「弥太郎、何をしに大坂へ出た」

「何をしに？」

弥太郎はあきれた。

「わしは下横目として、お前をひっ捕えに参った。その辻に相役もいる。上意であるぞ。神妙に藩邸へ来い」

（ああ、おれは脱藩人だったな）

にわかに思いだしたが、むろん弥太郎づれが百人来ようとも、竜馬は、鼻に蚊がとまったほどにもおもわない。

竜馬は、人垣の外へ出た。

弥太郎は、竜馬の抜きうちを警戒して五、六歩離れ、油断なく注視している。

「弥太郎、相変らず奇抜な顔じゃのう」

と、竜馬は、国言葉で笑った。

「来い」

と、弥太郎は、笑わない。というより、竜馬はこの男の笑った面相を見たことがなかった。これほど愛嬌のない面《つら》つきを風に曝《さら》している男も、世にめずらしかろう。

竜馬は、長堀川の川ぞいを西へむかって歩きだした。

橋が、多い。

心斎橋から勘定して、佐野屋橋、炭屋橋、吉野屋橋、宇和島橋、富田屋《とんだや》橋、問屋橋、白髪《しらが》橋といった橋のたもとを八つ過ぎて九つ目の鰹座《かつおざ》橋にくると、そこに土佐の大坂藩邸がある。脱藩人の竜馬にとっては、閻魔《えんま》の庁のようなところだ。

竜馬は五つ目の宇和島橋のたもとまできたとき、くるりとふりかえった。

弥太郎は、飛びさがった。

「竜馬、役人を討つと、国もとの権平どのにまで累がおよぶぞ」

「討ちはせぬ」

竜馬は、あたりを見まわした。

両岸の町家の灯影が、水にさらさらと落ちている。路上は暗く、人通りはなかった。

竜馬の右手に、弥太郎と同僚の井上佐一郎が、刀に手をかけている。息づかいが荒い。功名心にはやっている。竜馬を捕えるか、斬れば、下横目の卑職から、多少とでも出世できるかもしれぬ。

「あんたは、井上さん、ちゅうか。はじめてお目にかかるが、ねずみのような顔をしちょるの」

「竜馬、御用じゃ。神妙にせい」

「神妙にしちょる」

「国もとにて、参政吉田東洋様を斬って退転したるは、そのほうであろう」

(おっ、東洋は殺《や》られたか)

竜馬のほうが、おどろいた。那須信吾の精悍《せいかん》なつら構えが、眼にうかんだ。同時に、武市の沈鬱な顔が、竜馬の脳裡を横ぎった。きっと国もとは、大政変の最中だろう。

「すると、お前《まん》らは、たれから差しむけられた」

武市が天下をとれば、刺客逮捕の警吏が派遣されるはずがないではないか。

「江戸の老公じゃ」

にやりと、井上佐一郎が、顔をゆがめた。

「竜馬、聞け。武市一派が、年少の君を擁して国政をみだしてはおるが、江戸の老公がだまってお見すごしにはならぬ。いずれ、そのほうら悪人ばらは、一網打尽で亡びることになろう」

「悪人ばらか」

竜馬は、頭をかいた。

「おい、ねずみ。おれは逃げるよ」

「あっ、岩崎。後ろへまわれ。油断すな」

井上佐一郎は、飛びあがるようにして、土佐ぶりの長大な刀をぬいた。この男は、無外流の免許もちで、腕には十分自信がある。

(しかし、竜馬を相手には無理じゃ)

弥太郎は、刀をぬくかわり、草履をぬいで帯にはさんだ。次第によっては、逃げるつもりでいる。

「ほう、やる気か」

竜馬は、宇和島橋の南詰めの欄干《らんかん》に身を寄せた。鯉口だけは、切った。愉快なのは、岩崎弥太郎だった。逃げ支度だけはしたが、あとあと同僚の井上佐一郎の告げ口がうるさい。

やむなく、竜馬の背後、橋の上で、形だけ刀を抜いた。刀をかまえると、平素でも獅《し》子頭《しがしら》のような顔が、火でも噴きだしそうなおそろしい顔になった。

「弥太郎、抜いたか、けなげだな」

竜馬は、シンから感心した。

「しかし、惜しい。お前《まん》は、不浄の小役人になって上士のあごで使われているような男ではない。天下は動いちょる。おなじ死ぬなら、竜馬の刃にかかるよりも、日本のために死なんかい。お前には土佐はせますぎる」

なにを言やがる脱藩人が、という顔を、弥太郎はした。もともと弥太郎には、国事に奔走するというような興味は、かけらもない。どちらかといえば、志士づらをする武市半平太などは大きらいである。かといって、土佐藩の中で、たかが知れた出世をしようとも思っていない。となれば自分の人一倍大きすぎるエネルギーを何にむかって吐きだすべきか、その場所をさがすのに悩みきっているのが、いまの弥太郎の心境だった。

「なあ、弥太郎、お前はむかし、安芸郡の郡奉行《こおりぶぎょう》の牢屋《ろうや》にほうりこまれていたとき、武士をすてて天下の富をあつめてやる、というたじゃろ」

「言うたわい」

「おれはな、幕府をぶち倒す」

——こ、この謀叛人めがっ。

と、井上佐一郎が、どなった。が、竜馬は平然としている。

「お前は、商売をやれ。これからの商売は、国事じゃ。町人づれには出来ん。武士の眼をもって、天下の行くすえを洞察した商売でないと、商売にはならん。そんな時代がくる」

（なるほど、ええことを言いくさる）

とは思ったが、弥太郎は、ツカをくだけんばかりににぎりしめ、油断はしていない。

「おれは河田小竜にきいて知ったが、アメリカ、イギリス、オランダでは、商人は威張ったものじゃというぞ。武士も町人もないというわい。まして、土佐のように、上士じゃの郷士じゃのというものはない。アメリカなどは、将軍家を選挙するそうじゃ。商人でも、票が多ければ将軍家になれるそうじゃ。それからみれば、土佐の上士、郷士の争いなどは、鼻くそのようなものではないか」

「こ、こいつ」

井上佐一郎は、斬ってかかった。つられたように、岩崎弥太郎も、斬ってきた。雑談は雑談、仕事は仕事、というわけだろう。

竜馬は、一閃《いっせん》、井上の刀をたたき落した。井上は、右肩に、はげしいみねうちを食った。うずくまった。

（弥太郎は？）

あたりを見まわした。すでに風をくらって逃げてしまったらしい。

岩崎弥太郎は、九郎右衛門町の下宿に逃げもどってきて首すじの汗をふいていると、井上佐一郎が、真蒼になってもどってきた。

「岩崎君、卑怯ではないか」

と、土間に入るなり叫んだ。この下宿は炭の小売商で、土間に炭俵がつみあげてある。井上はその炭俵のあいだを通りぬけて、離れに居る岩崎に、もう一度叫んだ。

「卑怯だぞ。朋輩《ほうばい》を虎口切所《ここうせっしょ》におきざりにしてひとり遁《に》げるとはなにごとだ」

「井上さん、あんたも一緒に遁げるべきであった。もともと無理なことだ。こんご仕掛けたところで、あいつは斃《たお》せない」

「そこを、斃すのだ。武士ではないか」

「私はね、出来ぬことを敢行して悲壮がるような、そういう士道を信じない。あいつは、剣の玄人《くろうと》だ。そんな男に、素人《しろうと》がうちかかって何になる」

「私は、無外流の皆伝を得ている」

「段がちがうね」

弥太郎は、鼻でわらうようにいった。

「ぶれいな」

「無礼？　言葉のつかう場所がちがうだろう。これは作法や礼儀のことでなく、武道のことだ。井上さん、冷静になってもらわねばこまる」

「岩崎君。きみを見そこなった。君は、井ノ口村では喧嘩弥太郎と異名され、近郷きっての異骨相者《いごっそもん》だったときいている」

「きらわれ者だったのさ」

「その君が」

「待った。この岩崎弥太郎、その時節が来れば千万人が相手でも、やる。もしそれが勝つ喧嘩ならばだ。しかし、負ける喧嘩なら、一人が相手でもわしは遁げる」

「ひ、卑怯だと、わ、わしァ、それを言う」

「いやいや、そのうえ」

岩崎は、つばをのみくだし、

「あいつがにが手でね」

どうも、竜馬が、にが手である。

第一、竜馬は吉田東洋暗殺の下手人ではないとみている。

（あいつが、そんな闇討ちのような下卑《げび》た仕事をやるものか。那須、大石、安岡などとは、人間の格がちがう）

と思っていた。

どことなく面憎いやつだとつね日頃思っているが、それとは別に、弥太郎は、自分ほど竜馬を理解している者はないと思っている。あいつが、おれに優《まさ》っているところが、たった一つある。妙に、人間というものに心優しいということだ。将来、竜馬のその部分を慕って、万人が竜馬をおしたてるときがくるだろう。竜馬はきっと大仕事をやる。おれにはそれがない。しょせんは、おれは、一騎駈けの武者かともおもう）

（癪だが、おれより人間が上品《じょうぼん》だ。あいつが、おれに優《まさ》っているところが、たった一

弥太郎が、竜馬を小面《こづら》憎くおもうのは、竜馬のそういう部分への嫉妬だろう。それ以外は、弥太郎は、人間として竜馬に、おどろくほど似ている。似ているから、なお、いやなやつだ、とおもうのかもしれない。

今夜、宇和島橋で、竜馬は、斬らなかった。遁がしてくれた。

弥太郎はまた恩を着るはめになっている。

「井上さん、わしァ土佐へ帰る」

と、岩崎弥太郎はいった。

井上佐一郎は、ぎょっ、とした。

「岩崎君。いよいよ度《ど》しがたい臆病風だな。今夜竜馬にあしらわれたのが、それほどこわかったのか」

「まあ、解釈はご自由だ」

弥太郎は、ふてぶてしくいった。

実のところ、この任務拋棄《ほうき》は、竜馬の一件だけが、理由ではない。弥太郎は、井上とともに、大坂、京都とうろつくうちに、井上の眼には見えないものを、はっきりと見た。薩長を中心とする尊王攘夷党が、意外なほど大きな力をもちつつあるということである。同時に、幕威が、はなはだしくおとろえたということだ。

弥太郎は、主義者でもなく、天下国家に対し、志士気どりな慷慨家《こうがいか》でもないが、時勢をみる眼は、異常なほどするどい。おそらく幕府の要人、在野の論客、さらには天下の志士と自任する者のなかで、この土佐藩の無名の下級警吏（下横目）岩崎弥太郎ほどのするどい時勢眼をもった者も、まれだろう。

弥太郎の時勢眼のするどさは、いまにはじまったことではない。

二十一歳のとき、この男は、藩士奥宮周二郎という者の従者になり、ほとんど一文の金ももたずに江戸に出、安積艮斎《あさかごんさい》の門に入って学問を修業した。

このポッと出の田舎青年が、塾の先輩につれられて、江戸市中の見物をし、丸ノ内を通った。

ちょうどこの日は、十五日の式日《しきじつ》で、江戸在府の諸大名が、将軍の御機嫌《ごきげん》奉伺のために登城する日にあたっていた。

「どうだ、壮麗なものではないか」

と塾の先輩が、この江戸名物の大名行列をわがことのようにして弥太郎に誇った。

先輩は、弥太郎を辰ノ口へひっぱって行った。そこなら行列がよく見えるからである。

道端にたたずんでいると、つぎつぎと行列が通ってゆく。なるほど、みごとなものだ。ハイヨウ、ハイヨウという警蹕《けいひつ》の声がすぎると、御槍《おやり》、金紋の挟箱《はさみばこ》、金蒔絵《きんまきえ》で装飾した華麗な御乗物、御馬、その前後を、ふしぎな足どりで行く行列の武士たち、それらをみながら、

「どうだ、国へのいい土産話《みやげばなし》ができたろう」

と、案内の先輩はすっかり昂奮してしまっている。

が、弥太郎は、ひややかにみていた。

(愚劣すぎる。幕府、諸大名の世がほろびるのは遠くはあるまい)

と、腹の底のふるえるような思いで、それを思った。

大名行列などは、江戸文化がつくりあげた珍妙きわまるものだが、それを滑稽とみたのは、当時来航した外国人以外にはなかった。たった一人日本人にもとめるとすれば、この土佐の山奥から出てきた、弥太郎のほかにはいまい。

(こんなばかげたことをやってよろこんでいる幕府、諸侯は、きっと自滅する。自滅しなければ、外国にほろぼされるだけのことだ)

「おれは、土佐に帰る」

時勢にそむくのは、損だ。弥太郎は、その夜、下宿を去って、天保山の船宿に入った。このとき、弥太郎が、なおも下横目として活躍しておれば、明治政府はかれに三菱会社を興させなかっただろう。

井上は、残った。

井上佐一郎のみは、残った。背のひくい、小才だけのきいた、所詮は下横目だけが身上《しんしょう》の男である。時勢に対し、どういう理想ももたなかった。俗吏らしい功名心だけが、燃えている。

(下手人を捕えるか、斬れば、いま一段の出世が望めよう)

故郷《くに》に、妻子がいる。妻にも、そう申しのこして、岩崎とともに上方《かみがた》にのぼってきた。

ところで、大坂における土佐の藩邸は、二つある。

ひとつは、江戸初期から土佐藩領の米、海産物、紙、材木などの物産の集散をしている西長堀の長堀川ぞいの藩邸。これは、ゆうに一万坪はある壮大な屋敷である。しかし、商務をつかさどる役所にすぎない。

いまひとつは、最近できた。これは、軍事専門の屋敷である。

場所は、住吉村中在家にある。

幕府からの拝領地に建てたもので、敷地は一万七十九坪七合五勺《しゃく》。海浜に面し、構えは、ほとんど城郭といっていい。土佐藩では、

「住吉陣営」

と、通称していた。

幕府が、外国陸戦隊の堺上陸にそなえて建てさせたものである。故東洋が、幕府の機嫌をとるために、必要以上の経費を投じて造営した。武装も相当なもので、沿岸に砲台をつくり、陣中にはオランダから購入したゲベール銃五百挺《ちよう》を用意し、陣営の指揮官には家老級を置き、藩士五百人を収容している。

井上佐一郎は、九郎右衛門町の下宿から、毎日のように、この住吉陣営にあそびにくる。

陣営には、井上の国もとにおける上司であった小監察の福富健次が、在番していた。福富は上士で、江戸で鏡心明智流《きようしんみようちりゆう》を修業し、免許に達した腕のもちぬしである。江戸屋敷のころ、竜馬と試合してさんざんに敗かされたのが、この男だ。

故東洋によって、抜擢され、例の新オコゼ組とあだなされた一群の秀才官僚のひとりである。

だから、武市一派の勤王党の横暴をこの男ほど憎んでいる者はない。

「佐一郎、よいか。いずれ、江戸の老公のお指図《さしず》によって勤王党の天下はくつがえる。いま故東洋先生の下手人をひっとらえれば、そのときの出世は、思うがままぞ」

と、吹きこんでいた。

福富ら、故東洋系の残党にすれば、河原の石をめくってでも下手人をとらえねばならぬ。捕えて、かれらの背景を白状させる。背景は武市半平太だとは百もわかっているが、証拠が要るのだ。

その証拠さえあがれば、武市およびその同調内閣の要人は一挙に罪人となり、東洋系の官僚が返り咲くことができるのだ。

「承知しております」

と、井上佐一郎は、いかにも執念深そうな眼をあげて、うなずいた。

が、かれらにとっておそるべき敵が、この陣営内にいることを、井上は気づいていない。足軽、人斬り以蔵《いぞう》である。

人斬り以蔵。

むろん岡田以蔵には、この当時まだ「人斬り」の異名はついていない。この男が、京洛の地で佐幕《さばく》派の人物を斬りまくるのは、これよりすこしあとである。

しかし風手は、いちだんと狂悍《きょうかん》になっている。むかし、竜馬をあやまって大坂高麗橋で闇討しようとして逆に叩き伏せられた時代よりも、いよいよ剣技はすすみ、師匠武市半平太より目録まで頂戴していた。

「なあ、諸君」

と以蔵は、当節はやりの志士ことばで、仲間に相談した。以蔵は足軽の身ながら、武市の門人のはしくれで、その縁で武市の勤王党に加盟させてもらい、すっかり国士をもって気取っていた。

以蔵には、学問も智恵もない。

ただ、師匠武市への盲従だけがある。いや武市半平太の勤王攘夷宗の狂信徒といっていいか。

信仰だけではない。

武市勤王党は、いいかえれば、土佐藩における軽輩武士結社である。その結社が藩政を牛耳れば、いままで、

「足軽、足軽」

とひとに卑しめられていた身分から、あるいは抜け出せるかもしれない。

それには、功名。

以蔵は本来、異常に功名心がつよい。相談した場所は、住吉陣営での下士長屋である。

住吉陣営の建物敷地の壮大さについては前にのべたが、陣営のなかでも、上士を収容している棟《むね》と、下士（郷士、足軽）のそれとは、別々になっていた。

下士の棟は、「御殿」と称する建物の右方にあり、棟の長さが七十二間《けん》で二階建てという大きなものである。

そのうちの一室。

以蔵は、三人のなかまと談笑している。なかまは、久松喜代馬、田内喜多治、村田忠三郎。どの男も、薄よごれた綿服を着ている。

「おンしらァ、気がつかんか。国許《くにもと》からのぼってきた下横目の井上佐一郎、岩崎弥太郎のふたりが、どういうわけか、長堀の藩邸にも泊まらず、この住吉陣営にも泊まらず、

市中に下宿して、ただときどきこの陣営に遊びに来よる。眼つき、油断ならぬ。あの眼つきから察して、何のための上坂じゃとおンしらは見るか」

「おお、そういえば」

みな、思いあたる。

「探索じゃな」

「よう見た」

東洋を斬った同志那須信吾ら三人を探すためにやってきたのであろう。

「斬るか」

と、以蔵は、無表情にいった。が、手は小きざみにふるえている。臆したのではない。昂奮したのだ。

「斬ろう。尊王攘夷のためだ」

念のため、住吉陣営に駐在している藩の重役平井収二郎まで申し出た。平井は、上士にめずらしく勤王派で、武市と交遊し、こんどの吉田東洋暗殺の黒幕の一人であり、その後の政変芝居では、武市とともに主演役者でもあった。

「よし、片づけろ」

と、平井はいった。もし那須信吾らが捕まれば、折角藩を勤王色に塗りかえようとしている努力が水の泡になりかねない、と思ったのだ。

勤王派の重役の黙許をえたので、岡田以蔵は、殺人計画に没頭した。

（おれはやるぞ）

雀躍《こおど》りするような気持である。

（斬《や》れば、平井様も、武市先生もおよろこびになる）

以蔵らしい功名心である。

が、相手の下横目井上佐一郎は佐一郎で、東洋殺しの下手人をつかまえれば立身ができると考えていた。双方、べつに主義思想があるわけではない。勤王派、旧吉田東洋派の、それも末輩同士の異常な功名心が、日ならずして衝突することになるだろう。

土佐は、真二つに割れている。見様によっては三つにも四つにも割れているかもしれないが、さしずめ、互いに悪鬼の形相《ぎょうそう》で対立しているのは、勤王派と、故東洋が抜擢した新官僚派とであった。

勤王派足軽以蔵は、住吉陣営詰めの下横目の中にも勤王派がいることを知っている。名は、吉永亮吉、小川保馬。

「御両所、密議がある。ちょっと来てくれ」

と、以蔵は、この二人に計画をうちあけ、協力を乞うた。

「なあ御両所、井上、岩崎は、おンしらには同僚だが、何事も、天下のためだ」

こういう無智な狂信者が、天下国家のためだ、と昂奮するときは、ろくなことがおこらない。

「よし、協力する。しかし岡田。岩崎弥太郎だけは役目を不服に思い、勝手に国もとへ帰ってしまったぞ」

「なに弥太郎が？　命冥加《いのちみようが》なやつめ。しかし井上佐一郎は残っておろう。きのうも、さも用ありげに陣営内をうろついておったぞ」

「そう。うろついておった」

「さて御両所、斬りかたじゃ」

と、岡田以蔵はいった。この後暗殺の玄人になってゆく男だから、こんなことには智恵がまわる。

「おンしらは、井上と同僚の下横目じゃ。井上めもそれで気をゆるしておる」

「そう」

「この岡田以蔵などでは、あいつは用心する」

「まあ、用心するだろう」

と、二人は、岡田以蔵の、細くよく光る眼を見ながらうなずいた。

「そこで、御両所の手で、井上佐一郎をおびきだしてもらいたい。軍資金はここにある」

と、金子《きんす》をあたえた。金は、重役平井収二郎から出た藩邸の公金である。

「では」

と、十分に打ちあわせしたのち、二人の勤王派下横目は、井上佐一郎の下宿を訪ねた。

「おい、井上、飲みにゆこう」

と、誘った。

井上の不幸は、酒に意地がきたなかったことである。人はその弱点で死ぬ。

「御両所のおごりか。これはありがたい」

心斎橋筋に出かけた。

そこに「大与《だいよ》」という、当時よく繁昌した小料理屋がある。

大いに飲んでいたところへ、偶然来あわせたような体《てい》で、岡田以蔵、村田忠三郎、久松喜代馬、田内喜多治といった四人の殺人計画者が、微笑してあがってきた。

「やあ、諸君、おそろいで結構ですな」

と、岡田以蔵が、衝立《ついたて》のむこうから、声をかけた。

料亭、といっても心斎橋筋あたりの店は新町などのお茶屋とはちがい一室に一組の客を入れるのではなく、大座敷を衝立で区切って席をこしらえただけのものだ。

「ああ岡田君」

と、井上佐一郎と飲んでいた同役の吉永亮吉が、箸《はし》をおいていった。

「紹介しよう。こちらが、最近国許からのぼって来られた同役の井上佐一郎君だ」

「私、井上です」

と、井上佐一郎は、かるく頭をさげた。態度が、どこか尊大であった。身分はみなとおなじ軽格武士だが、下横目という警吏の職にあるため、どうしてもそういう臭味が出る。

「私は、岡田以蔵です」

「それがしは村田忠三郎」

「田内喜多治です」

と、それぞれ名乗った。みな、井上の顔は国許にいたころ、見覚えはある。が、たがいに言葉をかわしたことがなかった。

「なつかしい」

と、岡田以蔵は剣を置き、すわった。

「井上さん、飲みましょう。失礼ながら、心祝いのことがあって、勘定はこちらに持たせていただきたい」

酒が、どんどん運ばれてきた。

みな、酒樽《さかだる》のような土佐者だから、大いに飲む。井上も三升酒といわれた男である。その井上をみなで、よってたかって流しこむようにして飲ませた。

「いや、酔った」

井上は、眼をすえた。人相が変わっている。元来、酒癖のわるい男で、酔えば、他人の非違を指摘し、論難するくせがある。下横目根性というものだろう。

「諸君は、岩崎弥太郎という男をご存じか」

「ああ、太神楽《だいかぐら》」

と、たれかが相槌をうった。太神楽とは、獅子舞《ししまい》のことで、弥太郎はそれに似ている。

「あれは武士の風上にもおけん」

と、岩崎の平素の言動を一つ一つあげて手きびしく非難した。が、もっとも、こんどの二人の任務については、さすがに触れない。

全員へべれけに酔って心斎橋筋「大与」を出たのは、宵八時《いつつ》さがりである。

「井上さん、九郎右衛門町の下宿までお送りしましょう」

「ああ」

横柄に、井上はうなずいた。

六人が前後左右になり、わざとよろけながら南下し、戎橋《えびすばし》で道頓堀川を越え、川岸づたいに西へ漫歩しながらそろそろ九郎右衛門町にまでさしかかったとき、あたりに人通りが絶えた。

(みな、いいな)

と岡田以蔵は眼くばせすると、

「ああ酔うた酔うた」

と井上によろけかかり、右手をまきつけてそのまま頸《くび》を締めた。

やがて、ぐったりとうなだれた。

なかまの久松喜代馬が井上の脇差をぬき、脇腹を串刺しに刺しとおした。

死骸は、道頓堀川に投げすてた。

寺田屋騒動

竜馬と沢村惣之丞は、京坂の地で、なおさまよっている。

「のう、沢村よ。吉村寅太郎は、どこへ行ったかのう」

と、この日も京の町を、のんきそうな顔でうろついた。が、ちょっと迷い子じみていて、哀れっぽくもある。

ふたりとも田舎からのポッと出だから、吉村寅太郎のように先に藩からとびだした男の手引きがないと志士仲間に入れないのである。

持ち金も、だんだん乏しくなってきた。

宿も、木賃《きちん》である。東本願寺のそばに、そんなふうの安宿がならんでいた。本山詣りにのぼってくる諸国の信徒のための宿である。

自然、老人ばかりが宿泊客で、朝夕、どの部屋からも念仏の声が陰々滅々ときこえてきた。たださえ気が滅入っているのに、念仏攻めで、沢村惣之丞などはもう、げっそりと痩せてしまっている。

「坂本さん」

と、沢村は寺町を歩きながらささやいた。

「天下の浪士が京都にあつまって勤王義軍の旗あげをするというのに、町はこう、そんな気ぶりもなしに、静まりかえっておりますのう。わしは、あんたを誘いだしてわるかった。まさか、だまされておるのではありますまいな」

「安心せい」

竜馬は落ちついたものだ。

「そういう連中が義軍を挙げぬなら、わしとお前《まん》で旗をあげればよい」

「なるほど」

「少しは後悔している。もともと、ひとがやるからわしらもくっついてゆくという根性がわるかった」

「ははあ」

寺の練塀《ねりべい》がつづき、夕方の光が、にぶく白壁にあたっている。竜馬の前を、猫がいっぴき、さらさらと駈け通った。

人通りがない。

「すると、坂本さん、あなたと私と、たった二人で京都で兵をあげるのですか」

「無理かなあ」

「無理ですよ」

と沢村は、不機嫌そうにいった。

「しかし、沢村。男子の心得はそうあるべきだぜ。たとえばお前が天皇を背負って叡山《えいざん》へ駈けのぼる。おれは京都で幕軍を防ぐ」

「二人で、ねえ」

雨が降ってきた。

沢村は、竜馬ののんきさが、もう不愉快になってきている。

「といって沢村。おれならこんどの義軍計画みたいに京都では兵をあげないよ。京都という所は防禦のしにくい地形で、古来、京を守って勝った戦史がない。おれが天下に兵をあげるとすれば、それは瀬戸内海の海さ」

「ああそうですか」

沢村は相手にならない。

「坂本さん、思いきって河原町へ出てみましょうか」

そこに、土佐藩の京都藩邸がある。自然その町筋は同藩の者がうろついているから、いままで避けていたのである。

「それより沢村、王城の地へ来たのだ。美妓をはべらせて酒をのもう」

「そんな金がありませんよ」

にがにがしくいった。

竜馬と沢村は、東山産寧坂《さんねいざか》をのぼって、山麓にある料亭「明保野亭《あけぼののてい》」へ近づいた。

かつて竜馬が、剣術修業時代、お田鶴《たず》さまに連れられてきた料亭である。

はらはらと日和雨《そばえ》がふってきた。

(お田鶴さまはどうしているかなあ)

産寧坂の土は、赤埴《あかはに》の壺《つぼ》をみるように赤い。

竜馬は、ゆっくりとのぼってゆく。

眼の前にひろがる東山は、ちょうど新緑の季節で、さまざまな緑が、日和雨のなかで栄《は》えている。

(あれは、安政五年の秋であったな)

当時、京の公卿、志士は、いわゆる安政ノ大獄の旋風のなかで、戦慄していた。

三条家に仕えているお田鶴さまにさえ、密偵の尾行がついていた。

(思えば、お田鶴さまはああみえて、ずいぶん度胸のすわったおひとだな)

尾行つきで、竜馬と、この明保野亭で密会したのである。尾行者は、目明し文吉とその子分らであった。

竜馬は、眉からほおに流れてきた雨を、手の甲でぬぐった。

(あれから、四年になる)

時勢は、日に日に変わってゆく。風雲のなかで昼寝をしてきたような竜馬でさえ、いまや脱落して広い天下にとびだしたではないか。

──もっとも、とびだしたものの、どこへ行っていいかわからず、こんな産寧坂の赤土の上でうろうろしているのだが。

（四年前、おれは、この坂をのぼりながら、心の底から、お田鶴さまが恋しい、とおもった）

いま、その坂をのぼっている。

（お田鶴さま。──）

そうつぶやいてみた。胸が、胸の奥のほうが、妙なぐあいに慄えてきて、竜馬は、痛みをともなった物悲しいような気分になってきた。

（おれは、あのひとが好きだ）

そのくせ、この妙な男は、お田鶴さまに逢いにゆこうとはしない。面倒くさいのかな、と竜馬は自分の心の中をのぞいてみた。

（いや、こういうことに面倒くさい、ということはあるまい。きっとおれは、とほうもない薄情者なんじゃろ）

と、竜馬は、自分でわかったような顔をした。

雨は、霧に似ている。

いつとはなく、まげ、顔が濡れ、それがほおからあごに滴《したた》ってゆく。

（お田鶴。──）

竜馬は、はっとした。

「何か、いいましたか」

横から、背の低い沢村惣之丞が、竜馬を見あげた。

「何もいうちょらん」

明保野亭の門の前に出た。

「沢村、入れ」

「だいじょうぶですかァ、金がなくて」

「かまわぬ」

払いはお田鶴さまがしてくれるじゃろ、竜馬はそんな気持でいる。

明保野亭では、竜馬の顔をおぼえてくれていた。

「どうぞ」

と、奥の一室へ通してくれた。

これが京のいいところだ。紹介のないいちげん客はにべもなくことわるが、一度でもくれば何年でもおぼえてくれて、ちゃんとそれなりに待遇してくれる。ことに明保野亭にすれば、竜馬はあのとき三条家の臈女《ろうじょ》につれられてきた。

その点、信用の裏打ちがある。

「いい家ですな」

沢村惣之丞はきょろきょろ庭を見まわして落ちつかない。むりもない。土佐の山奥の貧乏郷士が、花の都の料亭にすわらされたのだ。

「いい匂いがします」

と、室内の空気をかいでいる。香が炷《た》いてあるのだ。

やがて、内儀《おかみ》が、あいさつにきた。ていねいにくどくどと時候のあいさつをのべたあと、顔をあげ、

「ほんまに坂本様、お久しゅうおすなあ」

と、笑った。

（お田鶴のことは言うな）

沢村にまずい。沢村は土佐者である。藩の家老福岡家の息女田鶴が、国中きっての美人であっただけに名を聞き知っているにちがいない。が、さすがに京の料亭の内儀だけあって、そういう機微を心得ているらしく、なにもいわなかった。

「坂本さん、大したものですのう」

と、沢村は、内儀が去ってから、大げさに首をふった。

「やっぱりあんたは、わしらの盟主だ」

「そうかね」

竜馬は内心おかしくて仕様がない。

やがて仲居が出入りしはじめて、酒、料理がはこばれてきた。

竜馬は別室に退き、巻紙をもらってお田鶴さまに手紙をかいた。

手紙に封をし、ふくさを借りて包み、男衆をよんで懐ろに残っていた有り金ぜんぶをあたえ、三条家のお田鶴さまのもとに使いに行ってくれるようにたのんだ。

あとは、祇園《ぎおん》から芸妓《げいぎ》をよんで酒をのんだ。

沢村はもう、気が狂わんばかりのよろこびである。

無理もない。

脱藩後、難行苦行をかさねて、その間、何度も野宿をしたことがあった。懐中がとぼしいために、酒もろくろく飲まなかった。

「まったくどうも、人心地がついた。坂本さんには頭がさがりますな」

と、無邪気なものであった。

ほどよく酔ってきたころ、隣室にどやどやと数人が入ってきた気配がした。

そこでも、酒宴がはじまった。

しかも、激越な声で議論がはじまったのである。

「武士だな」

と、竜馬は沢村にささやいた。

「長州の連中らしい」

とみた。

なまりで、知れるのである。

そのうち、沢村惣之丞が、

「あっ」

杯をおいて、竜馬をみた。

「どうした」

と、竜馬。

「いや、坂本さん、隣りの声ですよ。耳をすましてきいてごらんなさい。長州なまりのなかに、われわれの藩の吉村寅太郎の声がまじっているような気がするのだが」

「なるほど」

吉村寅太郎特有の胴間声が、きこえる。

竜馬は手をたたいて仲居をよび、隣室へ行ってもしや貴方様《あなた》は土佐の吉村寅太郎さまではありませぬか、と申してくれぬか、とたのんだ。

「へえ、よろしおす」

気軽に、隣室へ行ってくれた。

とたんに、隣室が、しーんとなった。

ぱっ、と竜馬の部屋と境のふすまがひらき、大剣を左手につかんで仁王立ちになっている吉村の姿があらわれた。

「なんじゃ、竜馬かあ」

とたんに吉村は、ホッと安堵した顔でいった。

「どうした、いきなり」

竜馬がわらうと、

「わしァ、こりァてっきり幕吏じゃと思い、斬り伏せる気でいたぞ。なンしろ、こっちのひそひそ声を聴きわけるとは、容易ならん」

「あれが、ひそひそ声か」

この連中の不用心さにあきれた。この調子で、京都に義兵をあげ幕府の所司代を焼打するなどが、できるかどうか。

その吉村の横から、

「やあ、坂本さん、久しぶり」

と出てきたのは、長州藩過激派の久坂玄瑞である。そのあとから、長州藩の連中がぞろぞろ入ってきた。

「なんだ、みんな一緒か」

竜馬は、よろこんだ。

沢村などは、迷い子が母親にめぐり会ったようなよろこびようで、

「いやあ、もう、……さが」

とまでいったとき、竜馬が、あわてて別な言葉に変え、

「そう、お前《まん》ら、きっとわしらを探しちょったろう」

大きくかまえた。迷い子にみられるのはどうも、薄みっともなかったのである。

しかし、吉村も、土佐者だ。

長州の連中に、竜馬を大きくみせてやろうと思い、

「おお、探しちょったぞ。竜馬ァ、お前が加わらんと、土佐者の気勢があがらんわい」

「そうでもない」

こんどは竜馬が照れる番だった。

「吉村、どうしちょった」

「ああ、あれからか。脱藩の身となればもはや三界《さんがい》に身を入れるところもないのでのう。久坂さんの世話で長州藩の京都藩邸にかくもうてもらい、長州藩の同志とともに義軍をあげるつもりでおる。そうそう、那須、安岡、大石らも、長州藩邸におるぞ」

「そうか」

「竜馬、沢村。お前らも脱藩の身じゃ。長州藩の世話になれ」

竜馬は、みんなと一緒に産寧坂の明保野亭を出た。

玄関を出る前に、帳場へ寄り、内儀に、

——いずれ、三条家から使いのひとがくるが、竜の字は長州藩邸へまかり越した、と

申しつたえてくれんかネヤ。

と言いのこした。お田鶴さまに、竜馬は支払いだけさせてどこかへ消えた、とおもわれるのがいやだったのである。

長州藩邸は、河原町にある。

現在《いま》の京都市役所の敷地がそれだ。三十七万石の大藩らしく藩邸の規模も大きかったが、惜しいことに元治元年の蛤御門《はまぐりごもん》ノ変で焼けてしまった。

が、竜馬は、こののち維新の策源地の一つになってゆくその藩邸の門前に立っている。

「そうそう」

竜馬はおもいだして、久坂玄瑞にきいた。

「桂小五郎君は、いま、この藩邸ですか」

「いいえ、小五郎は、いま江戸藩邸詰めです。藩邸のなかにある文武道場の塾長をしています。まあ、どうぞ」

「失礼」

竜馬は、門内に入った。

屋敷うちが、異様である。

むこうの御殿や、どのお長屋の部屋々々にもあかあかと灯《あかり》がともっているばかりか、庭には小さなかがり火が三つ四つ燃えており、手槍を持った者、鎖《くさり》の着込みをつけてうろうろしている者、容易ならぬざわめきようである。

竜馬は、長屋の一室をあてがわれた。

「久坂さん、御藩のお屋敷はえらいザワめいちょりますな」

と、とぼけていった。

大体、先刻、明保野亭から河原町藩邸にくるまでの途上、久坂が物語った情勢で、利口な竜馬は、ほぼ察している。

(長州藩有志も、薩摩藩有志に負けずに暴発するつもりだな)

と思った。

(こいつは、京もえらいことになるぞ)

薩摩藩士有馬新七を首領とする同藩の激徒および真木和泉《まきいずみ》を盟主とする浪士団が、いま、伏見の寺田屋にあつまり、京都襲撃の戦闘準備をととのえているという。人数は寺田屋に収容できる程度だから小人数ではあったが、いずれも決死剽悍《ひょうかん》の連中で、京都の幕府機関である所司代屋敷に斬り込んで所司代を血祭りにあげ、一方では中川宮《なかがわのみや》を奉じて錦旗《きんき》をあげ、さらには、入京中の薩摩藩主の実父島津久光を説いて薩摩の兵を味方に入れ、京都を占領したのち、天下の勤王諸侯、諸有志によびかけて参軍せしめ、江戸の幕府を討って一挙に政権を朝廷にもどそうという壮大な「計画」である。

この動きは、京都にある長州藩の激徒を刺戟した。

(薩摩に先を越されてたまるものか)

と、久坂玄瑞が謀主となり、藩邸詰めの者二百余人にひそかに武装させていた。

それを竜馬はみたのである。

この時期、幕威なお熾《さか》んで、維新を去る六年前のことだ。

竜馬は、なんとなく、かれらの計画が夢想じみているように思われてならなかった。

この時期、文久二年の初夏。

時代はそろそろ沸騰《ふっとう》しはじめていたが、まだ煮えつまるまではほど遠い。

世の政情は、まだまだ「討幕」というようなはげしいことばの似つかわしい時勢ではなかった。

天下三百諸侯。

その九割九分は、まだ泰平の金屛風《きんびょうぶ》にかこまれて眠っている。正気で、討幕を夢想しているような大名は、ひとりもなかった。

薩摩侯しかり。

長州侯しかりである。

土州侯は、もっとも佐幕色がつよかった。

天下に大藩はこのほかにいくつかあるが、ただふしぎなことに、この時期、この三大藩から、才子、奇士、豪傑、戦略家、策士、論客などが、むらがって出た。

要するに、三藩とも藩公はまずまず常識的な思想のもちぬしだったが、その家来に、とほうもないはねっかえりが、多勢出た。

たとえていえば、ほかにも大藩がある。加賀藩はごぞんじ百万石。奥州仙台藩は六十二万余石であったが、さほどの人材が出なかったために、明治維新のときにやっと昼寝の眼がさめた老人のように茫然自失、眼をこすって、どうやら徳川時代が終わったことを知った程度であった。

かといって、薩長両藩が家中《かちゅう》ぜんぶ討幕侮幕《ぶばく》論者かといえばそうでなく、どちらも藩の首脳部や上士の九割までは保守主義で、前記、加賀藩、仙台藩とかわらなかった。

薩摩藩主の実父で事実上の藩主だった島津久光（のち公爵）などは、明治になってからでさえ、

——討幕？　とんでもない。おれはそんなつもりはなかった。あれは西郷らが勝手にやったことだ。

といったりした。

土佐藩の老公容堂などは、最後まで勤王色をもった強硬佐幕派だったために、竜馬や武市半平太など非常な苦労をしたが、ついに最後には土佐藩有志は殿様をおいてけぼりにして、勝手に藩兵を動かして幕府を倒した。

長州の毛利侯はもっとふるっている。敬親《たかちか》（慶親）というこの長州の殿様は、べつに愚鈍ではなかったが、英邁《えいまい》でもない。明治になったとき、維新の功臣たちに、

——おい、おれはいつ将軍になるんだ。

と訊いたという説がある。信じられないようなはなしだが、長州の場合は、薩摩や土

佐とちがって、殿様が凡庸《ぼんよう》だったから家来どもにかつがれて右往左往しているうちに明治維新にすべりこんだ、ということだろう。

幕末の風雲は、この稿のこのあたりではまだ序曲というべき時期である。

――さて、寺田屋騒動。

その「暴動計画」に加わったのは右のような事情で、薩摩藩でもほんの二、三十人であった。京都錦小路の薩摩藩邸にある島津久光は、この風聞をきいて激怒した。

薩摩藩は本来、長州藩とはちがい、藩公を中心とした徹底的な組織第一主義の国家である。かれらを、

「不逞《ふてい》」

とみた。不幸はここからおこった。

伏見の船宿寺田屋における惨劇の急報が、三里はなれた京の河原町長州藩邸にもたらされたのは、そのあくる未明である。

ばたばたと藩邸の廊下を駈け叫ぶ者があった。

「諸君、起きろ。大事は去った。伏見における薩摩藩の勤王有志は全滅したぞ」

(全滅?)

竜馬は、はねおきた。

暗い藩邸の庭にとびだすと、ちょうど久坂玄瑞が駈けよってきて、なにかを叫びなが

ら、闇へ駈け去った。

（馬鹿）

竜馬は、暁闇《ぎょうあん》の天を見あげた。

星が出ている。

（まだ、早すぎたのだ、時期が。――）

無駄に命をすてた連中への、言いようのない怒りである。

夜明けとともに詳報が入ってきた。薩摩藩士団が、薩摩藩士団を斬ったらしい。

（よし、見て来てやる）

竜馬は藩邸を出、伏見へ出かけた。さいわい、船宿寺田屋のおかみお登勢《とせ》とは、竜馬は旧知の仲である。

見舞、ということもあった。

勇士の霊を弔《とむら》うという気持もある。

寺田屋騒動の真相については、竜馬はこのあとでさらにくわしく知るのだが、凄惨苛烈なものであった。

京都錦小路の薩摩藩邸内の「御殿」にいる島津久光は、八人の藩士をよんだ。

「寺田屋に屯集《とんしゅう》して暴発を企てているわが家（薩摩）の者に告げい。よいか。一味の浪人どもはかまわでもよし。わが藩士にのみ告げよ。即刻、京の藩邸へきて、予の話をきけ、と申し伝えよ。予がじきじき慰留する」

「もしきかざれば、いかがとりはからいまする」

堀次郎という藩の公用人で、久光の智恵袋が、殿様に念を押した。この男は、大の勤王ぎらいである。

「臨機に。——」

ただそれだけ、久光はいった。上意討《じょういうち》という意味である。つまり、斬る。

久光は、さらに言葉を添えた。

「使者には、かれらと同志同腹の士を選ぶように」

でなくては、寺田屋組は、慰留に乗らないであろうという久光の配慮である。

しかし、寺田屋組の暴発の肚がかたいということもわかっている。慰留とは名ばかりで、おそらく同藩士、しかも同志が相討つことになろうとは、容易に想像できた。

討手に選ばれたのは八人。あとで一人加わって九人である。奈良原喜八郎（のち繁、男爵）を筆頭にいずれも薩摩の剣術示現（自源）流の達人ぞろいであった。しかも、寺田屋組と同じ思想の徒である。

かれら薩摩人は、長州人や土佐人とはちがい、思想よりも君命を重しとした。

かれらは日没後、伏見へ急行した。

このころ、伏見寺田屋では、志士のめんめんが武器を整え、武装をかため、すでに出発の準備をととのえつつあった。

この寺田屋屯集組にまだ年少の大山弥助（のちの巌《いわお》、日露戦争の満州派遣軍総司令官、元帥・公爵)、西郷信吾(隆盛の弟、のちの従道《つぐみち》、元帥・侯爵)がいた。

この時代、伏見の町は、京と大坂をむすぶ乗合船の発着港としてさかえた。

始発駅は、伏見の京橋。

終着駅は、大坂天満《てんま》の八軒家。

その間、旅客たちは淀川を上下するわけである。

この伏見京橋付近のにぎわいは、こんにちの国鉄、私鉄の始発駅から連想すれば足りるであろう。

船宿とは、その駅の待合所といっていい。

その伏見京橋の川べりに、六軒の大きな船宿があった。

寺田屋はそのひとつである。

竜馬がむかし、盗賊寝待ノ藤兵衛ととまりあわせたころは、まだ世の中はのんびりしたものだったが、いまはちがう。

京街道。

竹田街道。

京から伏見へのこの二すじの街道を、奈良原喜八郎ら九人の薩摩藩士が「討手」として、ふた手にわかれて、走っていた。

かれらが、寺田屋についたのは、午後十時すぎであった。

軒行燈《のきあんどん》の灯はまだ消されず、

——旅籠寺田屋

とほのかに、文字を闇に浮きだしている。

寺田屋は、二階だてである。

京風に、壁に紅殻《べんがら》などがぬられているが、二階は手すりがあるだけで、京の旅館によくある格子は用いられていない。現今《いま》もなお、ほぼ旧観をとどめて営業をつづけているから、興味のある読者は一泊されるがよかろう。

暴発組の薩摩藩士や、浪士団は、すでに武装をととのえ、全員、二階で出発の支度をしていた。

討手の奈良原喜八郎は、人数の半数を戸外に残し、死を決して、土間に走りこんだ。

「宿の者、たれぞおるか」

へっ、と手代が出てきた。

「どなたさまでござりまする」

「二階に薩摩の有馬新七がおろう。同藩の奈良原が、命がけで談合にきた、と言ってくれんか」

「へへっ」

手代が階段をかけあがった。

階上。——

「なにィ？　奈良原どんが来たと？」

みな、気が立っている。

「慰留は無用。追いかえせ」

が、有馬新七は首領株だ。それに奈良原の親友でもある。

有馬は階下におりた。

奈良原は、有馬の顔をみて板敷の上で左手をつき、泣訴するようにいった。できれば斬りたくない。

「有馬ァ、頼む。頼ンもす。君命じゃ。暴発はひとまずとどまってくれ」

「キハチ（奈良原）どん」

と、有馬はいった。

「事は、ここまで来ておる。俺《おい》は武士じゃ。たとえ君命であろうと、とどまれもはんど」

「たとえ、上意討に遭《あ》うとも、有馬、苦しゅうはないか」

「ない」

瞬間、双方に殺気がみなぎった。

たしかに殺気である。が、双方、憎しみはなかった。双方、家中では勤王派の同志であり、友人である。

が、薩摩隼人《はやと》の奇妙さは、いかなる場合でも、自分の男としての名誉をまもる、ということにあった。七百年、日本列島の西南端で心胆を練りつづけてきた、この国の異風である。殺気は、カラリと乾燥している。

まず、戦いは、討手の奈良原の横にいる道島五郎兵衛が、右膝を立てたことからはじまった。

「有馬、おはんら、どうしても君命を聴かんか」

「聴かん」

いったのは、暴発組の田中謙助である。

「上意。――」

道島五郎兵衛は、抜き打ちに大刀を一閃するや、田中謙助の眉間を斬った。

がっ

と鳴ったのは田中の骨である。骨が、硬い。

田中謙助の両眼から眼球が飛びだし、あおむけざまに倒れて、気絶した。謙助は死なず、あとで蘇生したが、翌日伏見の薩摩屋敷に移され、藩命により、切腹した。三十五歳。性淡泊、学問もあり、生前、朋輩に愛された。

戦闘が、はじまった。

が、暴発組の主力は二階にいる。かれらは、階下でまさか乱闘が行なわれているとは知らなかった。幸か不幸か、階下にいるのは、かれらの代表四人だけである。しかもこの四人は、階上の味方に助勢を頼もうとはしなかった。当時の薩摩武士らしい豪気さ、というべきだろう。

さらに、豪気なのは、暴発組代表のひとり柴山愛次郎であった。愛次郎は、幼少のころから勇気をもって知られていた。

柴山愛次郎、眼を閉じている。

男として「暴発」は捨てられないが、君命に従わねばならぬ。ここは一番、斬られるしかあるまい、と覚悟した。

「愛次郎どん、覚悟」

と、討手の山口金之進が立ちあがって叫んだ。

「おお、来い」

といったくせに、愛次郎は正座したままである。山口の大刀が、愛次郎の左肩から、胸まで斬りさげた。

愛次郎、なお正座。

山口金之進は、さらに右肩からみぞおちにむかって、ざっ、と斬り割った。

即死。

首領有馬新七は、より豪気であった。この男は、男としてその名誉のために力のつきるまで奮迅《ふんじん》しようとした。

大剣を抜き、討手の道島五郎兵衛に斬りかかった。五郎兵衛、数合受けつつ、最後に腰をおとし、上段から、有馬の頭上へ斬りおろした。

有馬は、刀を立て、鍔《つば》もとで受けた。

火が、散った。

有馬の刀が、折れたのである。


刀が、鍔から二寸ほど残して折れた。

有馬新七の手に、ツカだけが残った。

(無念。——)

と、有馬新七はおもったか。いや、思うひまもあるまい。瞬間、三十七歳の有馬新七は、異様な行動をとった。この異様さは、われわれが当時に生き、特殊な武士道《おとこどう》を七百年にわたって受けついできた薩摩侍の身になってみなければ、わからないであろう。薩摩人有馬新七は、薩摩人であると同時に、薩摩人とはちがった一面をもっていた。薩摩人の政治感覚は英国人に似ている。観念論よりも、現実をみて、その場その場の方針をきめるたちである。

しかし、有馬新七は、その点では水戸人に似ていた。学者であると同時に、非常な観念論者であった。現実との妥協をうけつけなかった。尊王攘夷主義という、思想だけが、有馬のすべてであった。が、それだけではない。

有馬。

これは、奇男子であった。

――天子様の世が来れば、なにもかもよくなる。

と信じきっていた。当時の尊王武士のたれもがそう思っていたが、有馬にとっては、事の成否を問わず、その主義のために死ぬのが、かれの「宗教」であった。その激情、

「薩摩の高山彦九郎」

といわれたほどである。薩摩侍のはげしい血気とこの男の独特な「宗教」が、異様な行動をとらせた。

有馬は刀を投げすてるや、すばやく相手の道島五郎兵衛の手もとに飛びこみ、力まかせに道島を壁におさえつけた。

しかも叫んだ。

「橋口、橋口、橋口」

橋口吉之丞は、暴発組の同志だ。

「俺《おい》ごと刺せ、オイごと刺せ」

有馬のくそ力で壁に押しつけられている道島も、いまは討手とはいえ、親友であり、同志である。しかし有馬、容赦しない。武士の死は、一人でも敵を殺して最期をかざるのが薩摩武士の「教養」であると信じていた。

「心得もした」

橋口吉之丞、二十歳。この男も、薩摩人なのだ。刀をきらめかせ、

「有馬どん、道島どん、ご無礼」

とばかり、有馬の背を突きとおし、そのまま団子でも串《くし》で刺すように道島五郎兵衛の胸を刺し通し、壁へずぶりと縫いこんだ。

暴発組はすでに首領有馬が死し、さらには乱闘中二階から降りてきた連中をふくめ、柴山愛次郎、橋口壮助、橋口伝蔵、弟子丸《でしまる》竜助、西田直次郎といった者たちが、相前後して即死した。

このうち橋口壮助二十二歳は、瀕死《ひんし》の重傷を負ってころがりながら、

「水、水」

と叫んでいた。討手の大将株奈良原喜八郎が、これをあわれみ、水を与えてやると、橋口はすこしも、斬った側の奈良原を恨まず、

「俺共《おいどん》な、死にもしても、お手前《はん》らが居もす。生きて生きぬいて、今後の天下のことは頼ンもすぞ」

と、眼を閉じた。まだ、夜は暗い。が、維新の陽は、やがてこういう連中の累々たる屍《しかばね》のむこうに、昇るのであろう。

階上の連中。

(何やら、ばかに階下が騒がしいのう)

と思って雑談していたが、まさかこういう乱闘さわぎがはじまっているとは、気づか

ない。

「俺《おい》が見てくる」

と、薩摩の柴山竜五郎が、二階の降り口から階下をのぞき、仰天した。

「いかん。奉行所の捕手《とって》がきたぞ」

すわ！　と一同、刀、槍をにぎって立ちあがったとき、階下の奈良原喜八郎、階段のあがり口から上を見ながら、

「わしじゃ、奈良原じゃ。薩摩藩士にいう。みなきいてくれ。久光公は、おぬしらの気持はようご存じじゃ。シタガ、ココハシバラク待テ、とおおせある。君命に従うてくれ」

討手の大将奈良原、これは男であった。両刀をガラリと投げすて、着物、襦袢《じゅばん》を肩ぬぎして上半身赤裸になり、叫びながら階上にのぼって行った。

「このとおり、このとおり」

両手を大きくあげながら、二階の座敷にあがった。

みな、白刃を持って構えていたが、奈良原喜八郎の狂態をみて、ぼう然とした。

奈良原は、ぴたっ、とすわった。

しかも両掌《りょうて》を合わせ、

「頼む、頼む」

といいながら、口早に階下での事情を話し、やがてじゅんじゅんと事理を説き、思い

とどまってくれるように頼んだ。

「いかんと言や、俺《おい》を斬って行ってくれ。おはんらを制止しに来るとき、命は無かもんじゃ、と思うてきた」

両眼から涙をはじき流しながら説いたから、暴発組の薩摩藩士らも、浪士団も、ひとまず鎮《しず》まることにした。

――あれには勝てなんだ。

と、後年大山巌が往時をしのびつつ述懐したという。奈良原の気勢と、死を覚悟した説得には、理屈をぬきにして、一同、おさえこまれてしまったのだろう。

竜馬が、この異変の宿「寺田屋」をたずねたのは、その翌日である。

(中へ入れるかな)

と、ちょっと案じた。幕府の伏見奉行所の人数が宿に網を張っているかと思ったのである。

が、案じたことはなかった。

幕府は、薩摩藩をおそれ、その感情を必要以上に刺戟すまいと心がけている。藩内の私闘、とみて、くちばしを容《い》れていない様子であった。

竜馬は、軒行燈の下に立った。

畳職人や左官が出入りして、しきりと内部の模様を新たにしている。壁に噴きとんだ血、畳をしみ通って床下までぬらしたおびただしい流血のあと、宿を休業にして模様変えしてしまおうとしていた。

「あっ、お武家、きょうは休みでござりまするが」

番頭が、血相をかえてとんできた。

「そうらしいなあ」

竜馬はニコニコしながらもう土間に入りこみ、かまちをあがって、どんどん奥へ歩いていた。

寺田屋の台所は三十畳敷ほどの板の間で、年代がみがきあげた黒檀《こくたん》のような光沢がある。

その板の間に白い足袋を映しながら歩いていた女将《おかみ》のお登勢が、ふとのれんをあげて、

「まあ、坂本さま」

と、奥の間へ通ってゆく竜馬の背をみておどろいた。

「坂本さまではありませんか」

竜馬はふりむいた。

「いったい、どうなさっていたのです。風のたよりにうかがうと脱藩なされたそうでございますな」

「そうそう。脱藩した」

にやにや笑っている。

「名も、じつは変えちょる。おれは才谷梅太郎というんじゃ」

「でも、お顔はもとのままどすえ」

お登勢は、肚のできた女らしく、あごをくびらせて笑った。

「ふむ。顔だけは、変えようがないな」

竜馬はツルリと顔をなでた。

「きょうは、見舞にきた」

「ほんとは弥次馬はんどすやろ」

「ああ、それが本音《ほんね》だ。弥次馬といえば、おれは弥次馬の一番槍か」

「一番槍どす。あんまりほめたことやおへんけど」

「そのとおりじゃ」

くっくっと無邪気に笑って、

「話がまじめになるが、お登勢さん、お前の店も大変だったなあ」

「はじめ、赤穂浪士が、三組も四組も討入りにお居やしたかと思いましたえ」

「そうだろう」

「そらもう、斬られたり突かれたり、たいへんな騒ぎ」

「あれが男だ」

竜馬は、座敷の真ン中にすわった。

お登勢がひっこみ、やがて茶の支度をして、入ってきた。

「有馬様をはじめ、斬られたお方がお気の毒で」

「死骸はどうした」

「あとで多勢薩摩の方がみえて、このさきの大黒寺に埋めました。なかでも橋口壮助さまのお体の重かったこと」

「お登勢さんも手伝ったのか」

「まあね」

お登勢は、さりげなく笑ったが、眼に涙がいっぱい溜まっている。

「俠女《きょうじょ》だなあ」

お登勢はそんな女だ。

明治になってから、彼女の次女だった殿井力子がこう述懐している。「それはまァ、世話ずきで、物見遊山《ゆさん》はおろか、芝居一つ見にゆかない人でしたが、ただ一つの道楽はひとの世話をすることでした。捨て子だけで五人育てました。それを知ってわざわざ寺田屋の軒下に子を捨てにくる人もあったが、家人はこまっていたものです。勤王の志士については身の難を省《かえり》みずにお世話しました」

竜馬はふと、天井に飛び散った血を見あげ、すぐ眼をそらせた。

春燈《しゅんとう》、というには季節は闌《た》けているが、この夜、伏見の家々の灯は、川から立ちのぼる夜のもやに煙っていた。

竜馬は、階上の手すりにもたれ、お登勢から借りた三味線《しゃみせん》をかかえている。

（薩摩壮士の霊へ。——）

竜馬は、なにか、弔意のことばを吟じようとしていた。

本来なら、線香の一本もくゆらし、お経の一巻もあげてやるべきであろう。しかし竜馬はお経をしらないし、あの奇妙な古代シナ音の声楽は、きくだけでも陰々滅々としてきて、にが手だった。

竜馬は、詩を吟ずることも好かない。詩吟は、当節志士のあいだではやりだが、竜馬は、あれを吟じている男をみると、ぞっとする。度胸も性根もなく、本来キリギリスのような人間のくせに、自分が虎にでもなったような気分で咆《ほ》えているのがあれだ、とおもっていた。

（琵琶唄《びわうた》でもやるかい）

薩摩人には薩摩琵琶唄でも弾吟《だんぎん》するのが、なによりの供養《くよう》だろう。かれらは、年少のときから琵琶唄をききつつ男子の鉄腸を練ってきたのだ。

（しかし、わしァ、琵琶唄を知らん）

そのうえ、琵琶がない。

かかえているのは、一さおの三味線だけである。

竜馬は三味線が弾《ひ》ける。

乙女姉さんにおそわった秘芸だ。

（ひとつ、唄でも作るかい）

腰をおろしているそばに、抹茶の茶碗がおいてある。天目《てんもく》の大ぶりなやつだ。中身は酒である。

ぐいっ、と飲みほし、音色《ねいろ》をしらべていたのが、やがて、寺田屋殉難の志士を弔う即興の端唄《はうた》をうたいはじめた。しぶい、いいのどである。

　咲いた桜に
　なぜ駒つなぐ
　駒が勇めば
　　花が散る

薩摩の殿様（ただし藩公の実父）島津久光への恨みと皮肉をこめた唄である。

咲いた桜、とは、有馬新七以下の暴発組の連中のことだ。かれらは、志に花を咲かせてこの寺田屋に屯集した。そこへ、久光は、奈良原喜八郎らの慰留団（じつは討手）をさしむけた。いずれも薩摩ぶりの勇んだ者で、竜馬はこれを駒に見たてている。島津久光は、咲いた桜に駒をつないだ。駒が勇めば、花が散るのがあたりまえではないか。無用、無用、という意味である。

竜馬は、さらに一曲。

何をくよくよ川端柳
　水の流れを見て暮らす

人生流転《るてん》。

生死《しょうじ》はもと一つで、単に形を変えたものにすぎない。竜馬の、かれらへの弔詞のつもりであった。

この寺田屋での即興の二つの唄はいまでも酒席でうたわれているが、竜馬が寺田屋を血に染めて死んだ連中に捧げた唄だとは、多くは知らない。

流転

京の陽ざしが、日ごとに暑くなっている。

その後、ひと月ばかり、竜馬は河原町の長州藩邸で、為すこともなく日を送った。

ある日、久坂玄瑞が、

「坂本さん。用心なさるに越したことはない」

といった。

「土佐藩の偵吏が依然としてあなた方をつけねらっているようだ。様子が落ちつくまで長州藩邸に居てください」

竜馬や沢村惣之丞のほかに、土佐藩の亡命者が、何人もこの藩邸にかくまわれている。参政吉田東洋を斬った那須信吾、大石団蔵、安岡嘉助らもその仲間である。

例の吉村寅太郎は、すでに京にはいなかった。吉村は、事件前後、連絡のために河原町の長州藩邸と錦小路の薩摩藩邸とのあいだを往き来していたが、その間、薩摩の久光が、「あの者、めざわりである」と土佐藩にひきわたしてしまったのである。

（あいつのことだ）

と、竜馬は、吉村の人物は買っている。

（国許送りかえしになってもいつかは脱け出してきて、世間をあっというようなことを仕出かすだろう）

ある夕、竜馬は退屈なまま、長州藩邸を出ようとした。

「坂本さん、どちらへ」

と、門前で、長州の品川弥二郎が眉をひそめてきいた。

「まあ、ぶらぶら」

町歩きをする、と竜馬はいった。

「あぶないですぞ」

「いや、私は逃げかくれをしちょるのは、どうも性にあわん」

「しかし、吉村さんのように捕えられるのもつまりませんよ」

「ああ、あれも性にあわんな」

くるりと背をみせると、門を出た。後年、松方内閣の内務大臣になった品川弥二郎の印象では、このときの竜馬ほど淋しそうな影はかつてなかったという。

事実、竜馬は憂鬱なのである。

脱藩したものの、例の「京都義挙」が、雨あがりの虹のように、はかなく消えてしまった。

(どうも、わが身をもてあますなあ)

公演寸前につぶれた劇団の役者のようなもので、どうも五尺の体のもってゆき場がない。

(偵吏どももうるさいし、このまま江戸へでもくだるか)

木屋町を南にくだった。

(江戸の千葉道場でしばらく脱藩のほとぼりをさましてやろう)

しかし江戸へゆく金がない。

と、おもったとき、

「もうし」

背後から声をかけた者がある。

竜馬は、たちどまった。

(……………?)

ふりむいた竜馬の眼いっぱいに、高瀬川の柳の若葉の枝がみだれている。

その柳のむこうに、りっぱな武士が立っていた。

「おれだよ」

と武士は、出羽なまりのある江戸弁でいった。

夏羽織に、九曜らしい紋がほの白く透《す》けてみえる。袴は仙台平、白緒の草履、といったこしらえである。紫の下げ緒、金象嵌《きんぞうがん》の入った大小の鍔《つば》。そういういでたちのよく似合う男であった。

色が白い。

美丈夫である。

が、ぎょろりとした凄味の眼は、子供がみてもただ者でないことがわかる。

「お見わすれかね」

と、ちょっといやな顔をしたが、すぐ豪傑らしくのどを鳴らして笑い、

「清河八郎だよ」

と、いった。

「ああ」

と、とぼけてみせた。竜馬は、先刻、気づいていたのだが、この男、あまり好きでない。

「思いだしてくれたかね」

清河の白緒の草履が近づいた。

江戸の千葉道場で同門の士である。清河は、竜馬とおなじく北辰一刀流免許皆伝の腕であった。

「なつかしい」

と清河はいった。清河のほうが、数年先輩であった。ただし、この男はお玉ケ池の本

道場で修業し、竜馬は「桶町千葉」だから、竹刀をあわせたことはない。

「そのへんで、一献《いっこん》汲もう」

「結構だが」

竜馬は袖をふってみせた。金が無い、というしぐさである。

「だから、またにしよう」

「金ならこの清河がもっている」

「いや、よす。あんたが持っていても、おれがもっていなければ、酒なんざ、飲んでもうまくない。酒とはそういうものだ」

「妙な酒だな」

清河は苦笑した。

「しかし清河さん、あんたの懐ろにある財布を私に寄越すなら、べつだぜ」

(こいつ。――)

清河はもともと倨傲《きょごう》な男だ。むっとしたが、竜馬の溶けるような微笑をみていると、

(それも乙だな)

と思いはじめたから妙である。これほど、諸事小うるさい男が、印伝《いんでん》の革財布をふらふらと竜馬にさしだしてしまった。

「頂戴する」

ずしりと重い。

竜馬はふところに入れながら、

「清河さん、一献やろう」

とあごで先斗町《ぽんとちょう》の方角をさした。竜馬は歩きはじめた。清河ほどの大策士が、ひどく勢いのおちた足どりで、竜馬のあとに従った。

先斗町に、

「よしや」

という料亭がある。

銘酒「剣菱《けんびし》」で知られた店である。

竜馬にとってはじめての店だが、かねがねその酒をのんでみたいと思っていた。

京の店は、どこの馬の骨だかわからぬいちげん客をよろこばない。

だから、よしやに入るなり、帳場から女将《おかみ》をよんで、財布を渡した。

どうせ清河の財布だ。

「金が残れば、みなに祝儀をまいてやってくれ。おれかね、藩名はいえぬが、才谷梅太郎という」

「才谷様」

女将は、どぎもを抜かれている。財布のなかみはわからないが、重さではかると、小判の十二、三枚は入っているだろう。

「おいおい、坂本」

清河は、いやな顔をした。が、武士としてこんな所で、もめるわけにはいかない。

清河は、すを飲んだような表情で、二階奥座敷の酒席にすわった。

「いい宵だな」

竜馬はにこにこしている。

「清河さん、芸妓をよぶのは後刻ということにしよう」

「ああ、そうかね」

勝手にしろ、というふくれっつらである。

「それまでは、話、話」

竜馬は、ほくほくしながらいった。心中、このいやな奴をいじめるのが、たのしくなってきているのである。

酒が運ばれてきた。

清河には、相当な酒量がある。

「どうぞ」

と仲居が銚子をとりあげた。

清河は、厚い肩肉をゆっくりと動かして杯をとりあげた。

傲岸な男だが、その挙措動作《きょそどうさ》、ちょっと大藩の家老かと思われるような気品がある。

羽前国《うぜんのくに》（山形県）に、田川郡清川村という山郷がある（いまは東田川郡立川町に編入）。

この土地で、

——斎藤様。

といえば、たいそうな大地主で、土地の者は、御館様《おやかたさま》、と称していたものだ。

その斎藤家の世とりが、この男である。幼時、若さま、とよばれた。天下に乗りだしてからも、当然国もとからの仕送りが多い。

竜馬も、土佐ではきっての金持郷士のうまれだが、東北の郷士とは規模がちがう。家が「御館様」とよばれるほどの大そうなものではない。

清河は、巨大すぎるほどの才能をもって、この東北の高原にうまれた。

学問、武芸、なにをやらせても、たちどころに熟達した。

文章もうまい。

弁才もある。

それに、人一倍の気力がある。それだけではない。時勢、人物など、ものの本質をひと目で見ぬく眼力と、策謀たちどころに湧く天才的な謀才があった。その点、百年に一人という偉材だろう。

が、ただ一つ、重大な欠陥がある。

清河八郎は、十八歳で故郷の羽前国をとびだし、江戸へ出た。

当時、神田お玉ケ池に、東条一堂という盛名のある学者が、塾をひらいていた。幕府直参《じきさん》の子弟はあまり入塾しなかったが、東北諸藩や水戸藩、西国筋の田舎から出てきた者は、たいてい、この塾にはいった。その点、明治後の早稲田大学の性格に似ている。

この東条塾のとなりが有名な、

「玄武館」

である。北辰一刀流千葉周作の道場で、じつのところ、剣客の周作と学者の一堂とは仲がいい。

——手をたずさえて、やろう。

と暗黙に提携した。自然、田舎から出てきた若侍で、東条塾に入る者はとなりの千葉道場で剣をまなび、千葉道場に入るものは、東条塾で学問をもまなんだ。

どちらも、隆盛になった。

清河は、その両門で、たちまち天才をうたわれるようになったが、しかし、この男はそれだけで我慢はしていない。

異常につよい好奇心のもちぬしである。というより、人間への関心のはげしすぎる男だった。

(天下には、もっと人材がいるはずだ)

と、二十代の前半に、長大な旅行を三度もしている。畿内《きない》から中国筋、四国、九州、ついには本州の北端へゆき、さらに船にのって北海道(当時は蝦夷《えぞ》)にまで行った。この旅行中、清河は、熱心な尊王攘夷論者になり、さらに討幕論者になった。まだ、幕府安泰の嘉永、安政年間のことだから、天下ひろしといえども、討幕論者は、清河ぐらいのものであったろう。

途中、郷里に帰って、著作もしている。芻蕘論《すうじようろん》、兵鑑《へいかん》、四書贅言《ぜいげん》、といったものだ。

その後江戸へ出てきて、駿河台、つぎはお玉ケ池に家を借り、

「文武教授」

の看板を出して、塾をひらいた。

その間、世間の名士、志士とさかんにつきあい、

――江戸に清河八郎あり。

という評判は、諸方に知られるようになった。この名、本名ではない。本名は斎藤元《げん》司《じ》というのだが、故郷の村名「清川」をとり、名は八郎。覚えやすい。

芸名に似ている。

清河はそういう男だった。非常な尊王家でもあったが、同時に自分をも世間に押し出したかった。独り策謀をめぐらし、その策謀で世間を踊らせ、しかも策士らしく背後で帷幕《いばく》を垂れこめているのではなく、功をひとり占めにし、常にその策謀の中心にすわりたがった。

徳がない、ということになろう。

この稀代の才子の生涯を決定した不幸は、そういう欠陥にあった。

（すごい男だ）

竜馬は、酒をのみながら観測した。

（しかし、策が顔に出すぎた策士だな）

竜馬なりに、重みをはかっている。


清河は、幕府のお尋《たず》ね者《もの》である。

江戸にいたころ、柳橋の万八楼で同志とともに痛飲し、帰路、事件をおこした。

酒楼で天下を談じたあとでもある。

酔ってもいた。両方で、気分が昂揚していたのだろう。

むこうから、町人がきた。

遊び人らしい。

このころの遊び人は、まったく武士を軽侮していた。路上で武士にむかって雑言《ぞうごん》をあびせたところで、武士というものは容易に刀を抜かないことを知っている。刃傷沙汰《にんじようざた》をおこせば、藩では待っていたように禄を召しあげ、暇をとらせてしまう。どの藩でも、藩士を養いきれぬほどに窮迫しているのだ。

遊び人は、むこうから来る清河八郎を大藩の相当な身分の藩士とみたのだろう。

なにしろ、従者をつれている。安積《あさか》五郎、伊牟田《いむた》尚平、村上俊五郎、といった清河を盟主に立てている浪士たちである。

町人は、よろっ、とよろけた。べつに悪意があったわけではない。ごく自然な事故だったが、道がせまい。清河の肩につきあたった。

「気をつけやがれ」

と、遊び人は口ぎたなくあびせた。

「無礼者」

清河は、刀に手をかけた。抜いた、という手の内の見えぬほどの素早さで、もう刀は清河の鞘に、ぱちりとおさまっていた。

なにしろ北辰一刀流の達人であった。

遊び人の首は、

——気をつけやがれ。

と叫んだその口開きのまま胴をはなれて空中にすっとび、五、六間とんでむこうの店さきに、どさりと落ちた。

清河は、江戸から姿を消した。

幕府は、清河を捕えるには恰好な機会とばかり、諸国に人相書をまわして厳重に探索した。

その人相書は、清河をこう表現している。

「歳、三十ぐらゐ。中丈《ちゆうだ》け。江戸お玉ケ池に住居。太《ふと》り候方《ほう》。顔角張《かくば》り、総髪、色白く、鼻高く、まなこするどく」

庄内《しようない》型の美男である。

ほうぼう転々のすえ京都に入り、田中河内介《かわちのすけ》という、かつて公卿の中山家につかえた男と、時勢を痛論した。さらに河内介を通じて、天皇に建白書を奉っている。かつて幕威さかんなころは大名でさえ京都朝廷に接近することを幕府はゆるさなかったものだが、時勢は一介《いつかい》の素浪人がこういう行動をするところにまで来ている。

そのあと、清河は九州を巡歴した。

各地で、志士を歴訪した。筑前の平野国臣、筑後の真木和泉などと意気投合したのは、このころのことである。

——京にのぼって義兵をあぐべし。

とまで清河は極論した。九州人は、京や江戸の情勢にうとく、しかも血気がさかんである。

やがて、ぞくぞくと京大坂にのぼってきた。これが、寺田屋ノ変になり、京洛における幕末の血なまぐさい風雲劇の幕が切っておとされることになる。清河は、たったひとりで幕末の風雲を呼んだ男といっていい。

「清河さん」

竜馬は、清河八郎の座談をききながら、そのあいま、あいまに、大げさに首をふった。感心しているのである。

その舌のなめらかさ、豊富なことば、論理の奇抜さ、まったく竜馬は感心した。清河の弁舌をきいていると、じっとしていられなくなり、思わず駈けだしそうになる衝動をおさえかねるのである。

この清河の舌一枚に乗って、九州の一騎当千の志士たちが、まるで催眠術にかけられたように京にのぼってきたのだ。

「咳唾《ガイダ》、珠《タマ》ヲナス、ということばがあるが、清河さんのようなひとをいうのだなあ」

竜馬は、内心では軽蔑しているのだが、顔には出さない。

「おれはね、坂本君」

清河が、杯をふくみながら、

「江戸のころから、君には嘱望《しよくぼう》している」

と、ゆっくり、一種の調子のあるしゃべりかたでいった。

「ありがたいですな」

竜馬は、顔を伏せて、酒をすすった。

清河は、

「ふっ」

と、笑った。

「坂本君、からかうのはよしたまえ。君はちっともありがたそうでもない顔をしている」

「いや、ありがたいですよ。私はなんでも素直によろこぶたちだ。姉がしょっちゅう云っていましたよ、竜馬はおだてられると物よろこびするから、おだて甲斐がある。

……」

「よせ」

清河は、にがい顔だ。

しかし、こんたんがある。この竜馬と組んで一芝居打ちたくなっている。

「例の寺田屋の一件」

清河は、いった。

「あれも私の書いた筋だったのさ」

「ほう」

驚いてみせたが、竜馬は知っている。清河の評判は、どういうものか、悪評のほうが多いのである。

清河はみずから英雄豪傑である、としていた。若いころ、日本最高の学府である昌《しょう》平黌《へいこう》にも席をおいたことがあるが、

——こんな古ぼけた書物いじりをしていては、せっかくおれの中に息づいている英雄豪傑が死んでしまう。

といって飛びだした。

九州巡歴中、各地で「志士」と称する高名の士に会ったが、清河は会うたびにその日記で手きびしく酷評している。

熊本城下に永島三平という高名の志士が住んでいる。家が清正廟《きよまさびょう》の門前にあるので、清河は立ちよって、意見をかわした。

その夜、書いた日記に、

「天下形勢など談ずれども、元来虚容《きよよう》のみの人物にて一向に信ずべき風体の者にあらず。しばらくは論ずれども、英雄豪傑の深く相結ぶべきほどの者ならねば、よきにいたしける」

とにかく清河は歩いている。人物とみれば必ず会っている。

ほとんどが、清河に動かされた。

「京都義挙の一件、あれはおれが作者さ」

清河はいった。ほらではなかった。清河八郎は、ほらをふいて自分をふくらまさねばならぬほど、貧弱な男ではない。

「あんたがねえ」

世間とは妙なものだ、と竜馬はわれとわが身がおかしかった。清河がどこかで吹きあげた笛の音が、まわりまわって土佐の田舎にきこえてきたために、竜馬もおどらされて脱藩するはめになったではないか。

（こいつが、おれの一生を変えたわけだな）

竜馬はあごをなでて、障子《しょうじ》の外をみた。すっかり夜になっている。

「しかし清河さん。あんたは肝腎の寺田屋のときにはいなかったようだ」

「――」

清河は、だまった。

竜馬は、くすくす忍び笑った。

たしかに、寺田屋の惨禍《さんか》をまねいた京都義挙の一幕は、清河が役者をあつめ、脚本を書き、演出までしたのだが、その寸前に座員一同に、清河はほうりだされた。そのいきさつは、竜馬も耳にしている。

あのとき、竜馬は「義軍」の浪士連中がどこにいるのかわからなくて、沢村惣之丞とともに大坂をうろうろしていたが、一同は、薩摩藩の大坂藩邸にいたのである。

薩摩藩は、かれらを迷惑がって、藩邸内のお長屋のうち、「二十八番長屋」という一棟をあけて宿所に提供していた。親切心からではなく、まとめて監視をするというのが、本心であった。しかし清河をふくめて浪士たちは、

（薩摩はこっちのものじゃ）

とみて、天下をとったような気で、毎日、高談狼藉《ろうぜき》した。

清河は、その日記で、

「かれらはみな浮才薄行《ふさいはっこう》」

と痛罵《つうば》している。

ところが、浪士どもも清河をそういう眼でみていた。いや、清河よりも、清河が腹心として連れてきている越後浪人本間精一郎（のち暗殺さる）を、とくにそうみていた。本間は非常なおしゃれで、しかも才走り、口からさきにうまれたかとおもわれるほど弁口の才があり、うぬぼれがつよかった。ひとと議論すればねじ伏せるまでやめず、つねに口辺に相手を軽蔑するような笑いをたたえている。いわば、胆力のない清河八郎、といった型の男であった。

浪士はみなその本間を憎み、本間をのけ者にし、ついに兄貴分の清河までうとんじた。ついに二人は、薩摩藩邸を出た。

というより、同志から追いだされた、といったほうがいいだろう。

（惜しい男だ）

竜馬は、清河の、ややふてくされた秀麗な顔をみながらおもった。

幕末の史劇は、清河八郎が幕をあけ、坂本竜馬が閉じた、といわれるが、竜馬はこの清河が好きではなかった。

たったひとつ、人間への愛情が足りない。

万能があるくせに。

そうみている。ついに大事をなせぬ男だ、と竜馬はみていた。

「坂本君、きみを見込んでいう」

清河がいった。

「おれはこれから江戸へくだって、幕府の膝もとで驚天動地の大仕事をしようとおもうのだが、同行してくれぬか」

「江戸へ？」

竜馬は、ぽかんとした顔でいった。

（清河め、江戸へすっとんで、どんな大手品をつかうつもりか）

おもしろそうでもある。

「どうせ私も江戸へくだろうと思案しているやさきだから、道連れにはなりますがね。しかし、江戸でなにをするんです」

「幕府をだますのさ」

清河らしい。

「だまして、天下に浪人を募らせる。だいぶ江戸でも攘夷浪人があばれていて幕府も手を焼いているようだから、これらを一カ所に集めて幕費をもって飼う、しかも一朝有事には攘夷の先陣として使う——と説けば、なにしろ幕府にとって一石二鳥の話だ、とびつくだろう」

「それを？」

竜馬はぴんと来ない。

「どうするのです」

「逆に、討幕の兵につかうのさ」

（ふうん。……）

手品の構成にはおどろいたが、

「よしなよ、清河さん」

竜馬は即座にいった。

「一生に一度ぐらい手品もいいだろうが、物事にゃ実《み》がなくちゃ、ひとはついてこないですな。手品でこれが餅だ餅だといって一時はごまかしても、やがてただの紙だとわかれば、世間はあんたを見放しますぜ」

「坂本君」

清河は酔っている。

「わしは、背景というものがない。君にはある。土佐藩に仲間がいる。勤王を志す土佐郷士をあつめるだけでも二、三百人は居るだろう。その仲間が君の背景だ。やあ、といっただけで、おのれを喋々《ちょうちょう》と弁じなくても、先祖代々、野良あいさつで話が通じてきている連中だ。薩摩、長州、会津の連中もおなじだ。しかし出羽の山里から出てきたおれにはそれがない。天下、清河八郎ただひとりさ。さすれば、あっちをだまし、こっちをおだてして、他人のふんどしで角力《すもう》をとる以外手がないではないか。つまり、蘇秦《そしん》

「張儀《ちょうぎ》さ」

清河は、古代中国の大策士の名をあげてみずから誇った。

しかし竜馬はそういう清河を好まない。策士というのは所詮は策士である。ついに大事は成せないだろう。

（実《み》が要《い》るのさ）

竜馬にも、いまは身《み》もふたもない。しかし作りあげたいと夢想はしている。

清河とおれとのちがいだ、と竜馬はひそかにおもった。

寺田屋の惨事をきいたとき、お田鶴さまは正直なところ、息がとまる思いがした。

（もしや竜馬どのが）

と思ったのである。

しかしすぐあと、主家の三条家に詳報がつたわるにつれて、お田鶴さまは妙な気がした。

（なぜだろう）

竜馬は、あの人数の中には入っていない。

安堵はした。しかし同時に、

（不甲斐のない）

とおもったし、

（あのひとは、やはりただの呑気者なのかしら）

裏切られたような気もした。

それに、薄情者でもある。

脱藩して京都へのぼってきた、とまでは消息はわかっている。げんに産寧坂「明保野亭」の支払いについての使いの者もきたが、しかし当人はいっこうにお田鶴さまの前に顔をみせぬではないか。

恋もせず、壮挙にも加わらず。

（なにをしているのだろう）

料簡がわからない。

そのうち。――

というのは、きょうの午後のことだが。

ひょっこり寝待ノ藤兵衛がたずねてきて、お田鶴さまをおどろかせた。

あいかわらず、小堅気《こかたぎ》な旅商人ふうのこしらえである。

「へへ、京に参《めえ》っておりますンで」

と、笑ってみせた。

藤兵衛は、江戸の土佐藩邸でできいたのか、竜馬の脱藩のことは知っていた。が、いまどこに居るかは知らない。

「ご存じでございましたら。――」

教えてくれ、というのだ。

「わたくしも存じませぬ。どうやら長州屋敷にひそんでいらっしゃる、ということは伺いましたけれど」

お田鶴さまは、語りたがらない。よほど竜馬に腹をたてているのだろう。

藤兵衛はそうみた。

(悋気《りんき》を病《や》んでいらっしゃる)

「いや、この藤兵衛めも、江戸で寺田屋の変事をきき、てっきり旦那ァ、お一味だと思って駈けつけて参ったのでございますが」

「ええ」

お田鶴さまは浮かぬ顔だ。

「それがお一味ではなかった。すりァ、なんのための脱藩だったんでございましょう」

「田鶴にはわかりませぬ」

「左様で」

藤兵衛はちょっと考え、

「されば、手前が長州屋敷をたずね、御在否をたしかめた上で、あなた様にお逢わせ申します」

「余計なことです」

お田鶴さまは、つっぱねた。

「公卿屋敷は幕府《こうぎ》の眼がうるそうございます。浪人などに近づかれては、主家の御迷惑になります」

「ははあ」

とりあえず藤兵衛は長州屋敷へ行ってそれとなくさぐってみた。

どうやら竜馬は江戸へくだったらしいことがわかった。

そのころ竜馬は、清河とともに、東海道をいそぐともなくくだっていた。

第一夜は、草津。

つぎは土山。

さいわい、晴れつづきである。

三日目は、鈴鹿《すずか》を越えた。

「妙だねえ」

竜馬は感心しながら歩いている。

街道に人が多いのだ。竜馬はもう三度目の東海道くだりだが、こんなに街道がにぎわうのをみたことがない。

それも、江戸くだりではなくて、どんどんむこうから来る。

しかも女が多い。豪華な女乗物が、御殿女中や武士にかこまれて西へ西へ、ときには前後がつづいて幾組ともなくやってくる。

「坂本君、これがわかるかね」

「さあ」

「幕府瓦解《がかい》のしるしさ」

清河が、いった。

女乗物のなかみは、いいあわせたように諸大名の正夫人である。

大名の妻子は江戸屋敷におく、というのが幕府二百年の定法《じょうほう》であった。いわば、幕府に対する人質である。大名の国もとでの謀叛《ぼうはん》をふせぐためのものであった。

さらに、大名の富力を殺《そ》ぐために参覲交代をさせる。原則として、一年は江戸、一年は国もと、というぐあいに住みわけさせる制度である。諸大名は、多勢の家来をつれて、江戸、国もとのあいだを往来するために、ばく大な経費がかかった。かれらはしだいに疲弊し、幕府に反抗できるような財力も武力ももてなくなった。

だから徳川幕府は、二百数十年もつづきえたのである。

徳川家は安泰にはなったが、日本そのものの武力はおとろえた。

そこへ外患である。いつ外国が攻め込むかわからないという昨今、かんじんの諸大名にその防衛力がない。兵備を改めようにも金がなかった。

文久二年の初秋である。

幕府は、ついに参覲交代制を廃止同然にまでゆるめ、諸大名の妻子の江戸在府の鉄則もゆるめた。

二百余年、幕府は大名の鼻づらに輪を通して江戸につなぎとめておいたのだが、この制度が事実上廃止ともなれば、大名はふたたび野の虎にもどるかもしれない。

「幕府瓦解のしるしさ」

と清河が洞察したのは、このことである。

街道を西へ西へとのぼってくるのは奥方連中だけではない。江戸屋敷に仕えていた足軽、女中、中間《ちゅうげん》などの奉公人もお暇を出され、それぞれの郷国へもどる者が、陸続《りくぞく》とつづいた。

このため、街道筋の人足、馬、川場の賃銭が、びっくりするほど高くなっていた。

「清河さん。この様子じゃ、尾張あたりであんたの財布はカラになるよ」

竜馬は、「幕府瓦解のしるし」よりもそんなことのほうが心配らしい。竜馬も、清河の財布で旅をしているのである。

一方、土佐では。――

武市半平太黒幕の革新内閣が、まがりなりにもできあがっていた。

「竜馬ァ、早まりやがった」

あまり愚痴をいわぬ男だが、こと竜馬の話になると、その脱藩を惜しんだ。

しかし竜馬は、武市の成功のうわさを、海をへだてた上方《かみがた》の地できいて、

――砂上の楼閣さ。

と逆に不安があった。

武市は観念論者である。竜馬は実際主義者であった。土佐一国を武力で鎮圧するほどの実力を武市がもっていないかぎり、その革新内閣はついに砂上の楼閣だろう。

――武市のやることも実《み》がないよ、清河とおなじで。

瀬戸内海で私設艦隊をつくりあげて、その武力をもって世直しをやってやろうと考えている竜馬は、策だけの行きかたというものがどうも食い足りない。

参政吉田東洋を暗殺して以来、土佐藩の人事は、武市の工作どおりになった。閣員の八割は、政局を安定させるために門閥守旧家を参加させたが、かれらは、凡庸暗愚で、二割の勤王派重役に鼻づらをとられて引きまわされるだけになろう、というのが武市の見通しであった。しかもそのとおりになった。

もっとも、武市自身は、郷士出身のかなしさ、要職にはついていない。わずかに白札《しろふだ》の小頭《こがしら》、つまり准士官の世話役、といった程度の卑職についたにすぎない。しかし隠然たる黒幕で、かれが内閣をあやつっていた。

――薩長に遅れるな。

というのが、武市らの合言葉であった。

たまたま競争相手の長州藩に、攘夷促進の密勅がくだり、久坂玄瑞はじめ長州の勤王党は、鬼の首をとったようにこおどりした。京都の朝廷が、幕府の大名に横あいからじきじき勅命を発するなどは、当時の政治体制からみれば違法もはなはだしいが、当の孝明天皇とそのまわりの公卿どもは、夷国恐怖症がいよいよ募って、神経の平衡《へいこう》を欠くようになっていた。

——幕府はなにをしていやる。外国におどされてつぎつぎと港をひらいたり、条約をおしつけられたりしていやるが、ああいうことをしておれば、やがて外国に、国が食いとられてしまう。

公卿の無智。

公卿の臆病。

そして、公卿の貪婪《どんらん》。

を、長州の策士たちは利用した。当時、公卿は金に転《ころ》ぶ、といわれ、密勅降下運動など二、三の有力公卿に贈賄すればそれほど困難なものではない。

密勅降下。——

ということで、にわかに長州藩の活気がつよくなった。幕府と同格、という気分が、全藩士にみなぎった。

「土佐も。——」

と、武市は、勤王派上士の平井善之丞らと運動し、天皇の「内旨」というものを得た。

これによって武市らは、十七歳の少年藩主をかつぎ、兵をひきいて京にのぼることになった。竜馬が京を去った直後である。

竜馬は、江戸へ。

入れちがいに、武市半平太は、京へのぼってきた。

藩主豊範《とよのり》および土佐藩兵は、河原町藩邸が手狭なため、市の西、妙心寺境内にある大《だい》通院《つういん》を本陣としてたむろした。

武市半平太はいそがしい。

山内家の姻戚《いんせき》である三条家の若い当主実美《さねとみ》をわずらわせて公卿工作にかけまわり、おてみやげと称する金銀をふんだんに撒《ま》いて、公卿どもの機嫌をとった。

「長州も金持やが、土佐もさすが、二十四万石の大国だけに、富裕じゃの。天子《おかみ》には、よしなに取りなしてやるぞ」

と、公卿衆は、大よろこびだった。古来、公卿などというものは、歴史上ろくなことをしていないが、奇妙な権威がある。

かれらは、天子という現人神《あらひとがみ》をとりまく神主なのだ。神主にすぎない。すぎないが、天子がじきじき大名に会うわけではないから、その神託を神主が取りつぐように、公卿は天子の御言葉を取りつぐ。そういう権威がある。むろん、途中、公卿が都合のいいように変えることもあったりしても、天子は一向にごぞんじない。

武市の工作がうまく行って、土佐藩家老桐間《きりま》将監《しょうげん》が、朝廷によびだされることになった。

朝廷、といっても御所のなかの御役所によびだされる。役所は、学習院という。この役所には、勤王派の若手公卿が詰めていた。

桐間将監は、この学習院で、武家伝奏中山大納言から、「勅語」を受けた。

「土佐藩主も薩長両藩主とともに、大いに公武（朝廷と幕府）の間を周旋するように」

というだけのものであったが、この瞬間から、土佐藩の重味は、幕末政局のなかで他藩を圧するものになり、

薩長土

という並称は、このときからうまれた。天皇好きの異称のある武市半平太のよろこびたるや、ひとは、

「半平太、狂死せんとした」

といったほどである。

——この上に竜馬が居たらのう。

武市は、いよいよ竜馬の脱藩をざんねんがった。

しかし、世間は武市が考えているほど、あまくない。

江戸鮫洲《さめず》藩邸で隠居している前藩主容堂は隠居の身だから国政にくちばしを容れるわけにはいかなかったが、

「われわれ大名は将軍の家来である。しかるを、越階《おっかい》してじかに朝廷に結びつくとは不都合である」

と、武市一派の陰謀暗躍をよろこばず、ひそかに、前参政吉田東洋がとりたてた官僚

を動かして、武市一派の行状を監視していた。すきあらば失脚せしめようという、悪意そのものの監視である。

竜馬は、まだ東海道の道中にある。複雑な藩内事情にはいっさい関係をもたず、ひとり天下を往《い》こうとしていた。

江戸へ舞いもどった清河は、大木戸を通って芝橋の手前まできたとき、

「坂本君、どうも後ろのやつが気になる」

と眉をひそめた。

竜馬もさきほどから気づいている。田町の何丁目かあたりから、妙なのがいっぴき、二人をつけてきているのだ。

「目明《めあか》しだね」

竜馬はいった。

「なにしろあんたの人相書は、だいぶほうぼうに撒《ま》かれている」

「ふん」

清河は悠々と歩く。

江戸まで泊りをかさねた宿場々々の旅籠には、たいてい清河の人相書が、壁に貼られていた。もっとも当の清河が、どこに泊まるにしてもあまり堂々としているから、旅籠の者も、宿役人も、ついに疑うものがいなかった。

「さすが江戸の目明しだ。清河八郎が大木戸をくぐったというだけで、もう後をつけている」

「坂本君、ここで別れよう」

「逃げるのかね」

「ああ」

清河はうなずいた。清河の語るところでは、さいわいこのさきの三田に薩摩藩邸がある、薩人益満休之助《ますみつきゅうのすけ》が知人だからしばらくかくまってもらい、江戸の様子をみてから活動をはじめるつもりだ、といった。

「しかしあんたをかくまったとなれば、薩摩藩が迷惑するだろう」

「なに、迷惑させてやるさ。幕府と薩摩藩のみぞが、一寸《ちょっと》でも深くなれば、それだけでも世がおもしろくなる」

なるほど、策士だ。

「坂本君、このさき、君の連絡場所をきいておきたい。まさか鍛冶橋（土佐藩邸）ではあるまい。江戸はどこに泊まる」

「桶町の千葉だよ」

「ああ、あそこの貞吉大先生にはさな子という一刀流免許皆伝の娘がいる。君にご執心だというわさがお玉ケ池でもシキリだったが、ほんとうかね」

急に卑猥《ひわい》な顔で、きいた。

「ちがうね」

竜馬はにやにやしている。

「どうちがうのだ」

「私のほうが執心なのさ」

もっとも手ひどくはねつけられたがね、と竜馬はあははと馬鹿笑いをした。むろん、うそである。妙なうわさをたてられてさな子を傷つけたくないと思っての方便であった。

やがて、三田の薩摩藩邸の門前へ来た。

「では」

竜馬は、編笠をむこう風になぶらせながらあとをも見ず、トットと歩きだした。

日ざしが明るい。

ひさしぶりの江戸であった。

金杉橋《かなすぎばし》を渡った。

長さ十二間の板橋で、右手に海が光り、左手のむこうに増上寺《ぞうじようじ》の森がみえる。渡りおわるともう浜松町である。その四丁目まで行ったとき、竜馬はクルリとふりかえった。

尾行者がいる。

背のひくい、みるからにずぶとそうな遊び人ふうの若者である。

「来い」

いいかげんに腹が立っていた。田町からずっとつけてきた男である。

「へへへ、どうも」

小腰をかがめながら度胸よく近づいてきて、ひょこっ、と頭をさげた。

「ちょっくらお伺いしやすが、旦那はもしや土州様御家来坂本竜馬さまではございませんので」

（こいつ、清河を狙っていたのではなかったのか）

竜馬はむしろあわてて、

「お前は何者だ」

と咳《せき》ばらいした。

「へい、長太と申しやす。以後お見知りおきねげえてえもんで」

「なぜわしのあとをつけている」

「藤兵衛親分が」

「ほう、寝待の？」

「左様で。その藤兵衛親分が、これこれしかじかの御人体《ごにんてい》の方が江戸にお入りになれば鄭重にお宿をきいておくように、とこういう指図《さしず》だったのでございます」

「お前は藤兵衛の子分か」

「いや、仲間で」

「やはり泥棒だな」

「しっ」

長太はあわてた。竜馬はかまわず、

「藤兵衛はまだ泥棒をしておるのか」

「いえ、存じません。ただ堅気のほうの商いがなかなかご盛大のようでございます」

「江戸か、いまは」

「さあ、それも」

この仲間は、たがいの消息はいわぬおきてになっているらしい。

「では藤兵衛に伝えておけ。桶町の剣術道場で千葉。そこにいる」

「あっ、ありがとうございます」

消えかけるのを、竜馬はよびとめ、金銀づくりの小柄《こづか》を抜いて長太にくれてやった。捨て値で売っても、五、六両はするだろう。

長太は、ふるえている。

「駄賃だ。ぜにがないんだよ」

竜馬は、もう五、六歩歩きだしていた。

夕方、鍛冶橋御門のみえるあたりまでたどりついた。

ついむこうが、土佐藩邸である。しかもその目と鼻のさきの桶町に千葉道場があるから、竜馬にとってあまり用心のいい界隈《かいわい》ではない。

諸藩の藩士が、往来をうろうろしている。

（えい、見つかったらそのときのことだ）

悠々と、鍛冶橋御門を北へ、南鍛冶町、南大工町と歩いて桶町に入ると、顔見知りの町人七、八人と出会って閉口した。

「あっ、お帰りでございますか」

と抱きつくようにして寄ってくるやつもある。千葉道場のかつての塾頭が町内へもどってきたのだ。懐しいのだろう。

竜馬は、桶町千葉の門前に立った。

（なにもかも昔どおりだ）

と、門をあおぎ、塀のくずれをなつかしくながめた。

むかし、といっても、竜馬がこの道場を去ったのが、安政五年二十四歳のときである。わずか五年前のことだが、その後の身の変転がそうさせたのか、ずいぶん遠いむかしだったような感じがする。

（おなじだなあ。――）

と、塀ごしに茂っている山桃の葉の一つ一つをながめた。葉の一つ一つに、厚ぼったく夕方の陽ざしが溜まっている。

竜馬は、なかに入った。

森閑としている。

あとできいたことだが、きょうは、千葉重太郎が召抱えられている鳥取藩の前藩主の祥月命日《しょうつきめいにち》で、道場はやすみだということであった。

玄関に立った。

「竜馬です」

というと、門弟がとりつぎに出た。竜馬にとって知らない顔である。

が、むこうはすぐ察したらしく、

「あっ、坂本先生」

と、あいさつもそこそこに奥へ素っ飛んで行った。どうやら竜馬は、この道場ではすでに伝説上の巨人になっているようであった。

竜馬は、取りつぎを待ちながら、そのあたりを見まわした。

庭に、古井戸がある。

そのむこうに道場の板壁があり、腰板のあたりの破れ目まで昔のままだった。

ふと、おうちの樹のむこう、すこし離れた塀ぎわの一角が河原石で数珠輪《じゅずわ》にかこまれ、そこに桔梗《ききょう》がいっぱい植わっているのをみた。

(むかしは、あんな草はなかったな)

わざわざ石でかこんでいるところからみて自然にはえたものではなく、たれかが植えて面倒をみているのだろう。

花がふたつ、ついている。

つりがねに似た、淡いあおみどりの花が、可憐《かれん》に風にゆれていた。

桔梗は、竜馬の紋所である。だから、というわけではないが、この花が好きだった。が、竜馬は気づかない。

この花は、安政五年、竜馬が、藩の留学期間がきれて国もとへ帰ったあと、さな子がこっそり植えたものだった。

兄の重太郎がみつけて、

——どうも雑草がはえてこまる。

とひきぬこうとしたところ、さな子はあわてて、

「わたくしが植えたのです。お父様のお咳の薬になると思って」

といった。事実、桔梗の根は干して煎じれば咳や痰《たん》の薬になる。内科《ほんどう》の医者は、気管支炎や百日咳、肺結核、ぜんそく、などの患者に投与するのである。

「ああそうか。さな子は親孝行だな」

重太郎は、ちょっと翳《かげ》のある微笑をしたが、それっきりなにもいわなかった。この兄にはさな子が桔梗に託している気持がわかったのかもしれない。

「大先生が、大よろこびでいらっしゃいます。さっそく道場で会おうとおおせられますので」

と、門弟が駈けもどってきていった。

道場の正面に、千葉貞吉老人。

たった一人ですわっている。

竜馬は、はるか下座から頭をさげ、顔をあげると、れんじ窓から風がふきこんできて、老人の白髯《はくぜん》をそよがせた。

白くなった。

が、皮膚はいぜんよりもつやめいていて、すっかり病いぬけがしたらしい。竜馬がこの道場にいたころは、多病で、いかにも年寄くさかったのだが。

「お見ちがえ致しまするほどお元気になられまして、重畳《ちょうじょう》に存じます」

と、竜馬も、この大先生にだけは、人変りしたような鄭重なことばをつかう。

「ああ、病いがどこぞへ行きおった」

にこにこ笑っている。

「なにか、妙薬でも」

「でもないな」

貞吉老人はちょっと考えて、

「竜馬、笑うかもしれんが、わしはどうも、うまれかわったらしいよ」

「そのお齢《とし》で」

「齢もくそもあるものか。人間、生きているうちに、どうやら、ころころ何度も生まれかわるらしいよ。人はどうかしらんが、わしは、がらっとうまれかわった。いや、そんな気がする」

「なるほど。お見受けしますところ、別人でおわします。いつ、お生れかわりになりました」

「去年さ。去年の十二月十日、兄の七回忌をつとめたのだが、そのころからかな」

実兄千葉周作は、安政二年十二月十日、六十三歳で亡くなっている。竜馬は、最初、周作につこうとしたのだが、江戸に出たころはすでに周作は病床にあった。死んだのは、竜馬が第一期の留学を終えて土佐へ帰った二十のとしで、このためついに周作の竹刀の音をきかずにおわってしまった。

しかし実力は、「小千葉」の貞吉のほうが上とされた。そういう評判だったが、貞吉はつとめて「大千葉」の兄を立て、余人の眼の前で兄と竹刀をあわせることをしなかった。おそらく周作の死で、そういうことから解放されたのだろう。

と竜馬はおもったが、貞吉老人はすぐ顔色でそれを察したらしく、

「ちがうよ」

といった。

「すると？」

竜馬はからかうように微笑した。

「なにか、悟りでも開かれたのですか」

「とんでもない。ただなんとなく、ふわふわと生まれかわったのよ」

といいながら貞吉はかたわらの面をとりあげてかぶり、竜馬にも面籠手をつけるように命じた。

立ちあった。

どちらも、北辰一刀流定法《じょうほう》の青眼《せいがん》である。

「竜馬、打ちこんでこい」

なるほど、師匠は、おかしくなった。いままでのこの師匠が竹刀をかまえると、気魂が凛乎《りんこ》として充溢し、剣尖《けんせん》がせきれいの尾のようにふるえ、千変万化、天地がどう変わるかわからぬようなすさまじいものだったが、いまは、煙のような人影が、あわあわとそこにもやついているだけであった。

（なんだか、変わりやがったな）

ところが貞吉老人も、おどろいた。

（この男も、変わったな）

竜馬が、山のようにみえた。撃ち込めないのである。

隙がない、というのではない。

ありすぎる。

構えは平青眼《ひらせいがん》。ぶらりと竹刀をにぎっているにすぎない。まるで、素人が棒をにぎっているようだった。

以前は、こうではなかった。以前の竜馬は撃ちや防ぎに芸が多く、気力が外にあふれ、触れれば火を噴くようななにかがあったが、いまはそれが、まるでない。

そのくせ山のような威圧を感ずるのは、どういうことであろう。

(こいつ、出来たな)

と、貞吉はおもう。察するに、その後修業に修業をつんでここに達したのではなく、なにかべつなことで精神が成熟しつつあるのであろう。

成熟、というが、もはや技術ではない。人間のなかみである。生死勝敗を忘れ、すべてが空《くう》になり、おのれも空に融けきることが剣や禅の極致といわれるが、竜馬はそれに近づいているようである。

そのくせ、貞吉は、竜馬が禅の修行をやったというはなしは、きいたことがない。

いや、それどころか、竜馬自身、自分がそういう境地に近づいていることを、ちっとも気づいていないにちがいない。

(こいつは、天成の男だな)

万人にひとり、自然法爾《じねんほうに》で、知らず識《し》らずそういう境地に近づく稀有《けう》な人間でありうるのかもしれなかった。

(竜馬はそれであろう)

その素質はある。貞吉は、おもいあわせてみると、この若者が十九歳で入門したときから、およそ我意我執というものがなかった。天然自然に、まるでうまれたままの明るさで生きているような男だった。もともと、何を容《い》れるにしても、器《うつわ》がとほうもなく大きくできているのである。

剣は、詰まるところ、技術ではない。

所詮は、境地である。

技術という点では、貞吉は、古今の名人にすこしも劣らない、と自分で思っている。劣るのは、境地である。

それが、この齢になって、やっとわかり、わかった瞬間から、貞吉の剣がかわった。

(が、竜馬はこの若さで、それが出来ているようだ)

貞吉の竹刀が、はげしく鳴った。誘ったのである。

が、竜馬は、鎮《しず》まっている。

「竜馬っ」

と、ついに貞吉はわざとどなりつけた。

「何をしておる。もっと稼《かせ》がんか」

「いやいや」

面鉄《めんがね》のなかで、竜馬はいった。

「撃ちこめませんよ」

といったと同時に竜馬の竹刀が、貞吉の面を襲った。貞吉は、胴。

同時に鳴った。

相打ちである。竜馬はとびさがって、竹刀をひいた。

「参りました」

むろん、師への礼である。


(あきれたやつだ)

貞吉老人は、腹もたたない。竜馬は相打ちのくせに、「参りました」などと大声で叫んで、さっさと剣を退《ひ》いてしまっている。

「おい、もう一本だ」

「だめですよ」

竜馬は笑いながら、道場のすみにすわって、面をとりかけた。正確にいえば、いまの撃ちは竜馬のほうが迅《はや》かった。真剣ならば、師匠は撃ち斃されていただろう。

(先生も弱くなった)

おどろいている。四、五年、寝たり起きたりの生活がいけなかったのではないか。

(しかし心境だけは、名人の位だ。おれなんぞはまだまだ、ああはいかん。技倆は落ちても、人間は格段にあがっている。剣は所詮は勝負ではないな)

だから、負けた、といったのだ。真実、負けたとおもっている。

「竜馬、面を脱《と》るな。師命だ」

と、貞吉老人はおさえつけて、自分だけが席にもどって面ひもを解きはじめた。

ふと、道場のむこうの杉戸が、そっとひらいた。

防具で身をかためた人物が入ってきて、くるりと背をむけ、身をかがめて戸を閉めた。

白い稽古着《けいこぎ》、白の袴、朱の胴に、華《はな》やいだ紫のひも。

小柄である。

(なんじゃ、さな子さんじゃないか)

そう判断した。道場に夕闇が濃くなっているうえに、面鉄のために顔がみえない。

しかし、面をつけたまま入ってくるとは、さな子も変わっている。ひさしぶりの対面で素面《すめん》では、はずかしかったのであろう。

「竜馬、立ちあいなさい」

と、師の貞吉がいった。

竜馬は、道場の中央に進み出ながら、

(まだ嫁にも行きおらんか)

と、この娘が気になってしかたがない。勝負どころの話ではないのである。

さな子らしい剣士が、一礼した。

つつ、と進み出て、蹲踞《そんきょ》。

竜馬も、蹲踞。

竹刀の先が、かるく触れあっている。

竜馬は、にやっと笑った。

が、相手は笑わない。面鉄の奥で、眼がきらきらと光っている。さな子である。

貞吉老人が進み出て、

「勝負一本」

と、宣した。

さな子は、立ちあがった。と同時に眼にもとまらぬ迅さで、竜馬の面を襲った。

竜馬、一退。

(すごい気合じゃな)

まったく、さな子の攻撃はすさまじい。さらに袴をひるがえしふたたび飛びこんで、面。——以下、面、面、面、と連続の撃ちを加えてきた。

(なんという娘だ)

竜馬は剣尖《けんさき》で払い、物打ちで受け、とびさがって間合をはずし、応接するのに閉口した。

なにか恨みのあるような激しさである。

(どうか、しちょる)

竜馬は、あしらいきれなくなってきた。

竜馬は、さな子の竹刀を捲きおとして籠手を打った。

「浅うございます」

さな子は飛びさがって、自分で審判している。

竜馬は、この娘の勝気がおかしくなり、こんどは摺《す》りあげて面を撃った。

「浅い。——」

と、さな子。

撃たれながら、変に威張っている。甘えているのか、久しぶりの対面に照れているのか、それとも竜馬の薄情を憎んでいるのか、この娘の屈折は、ちょっとわからない。

つぎは、面を襲ってきたさな子へ、竜馬は飛びちがって胴を抜いてやった。

「浅いっ」

さな子は、口惜しそうに叫んだ。その声、面鉄の奥で、ぽろぽろ泣いているのではないか、と竜馬はおもった。

しかも、さな子は眼にみえて弱ってきている。

(可哀そうだなあ)

そのくせ、さな子は攻撃をやめないのだ。

「お籠手っ」

とさな子は飛びこんできたが、竜馬にかるくはずされた。剣に、力がない。

(どこまでやるつもりだろう)

竜馬はめんどうになり、剣を、犬がしっぽを垂れるようなかっこうで、下段に垂れた。

それにさな子は誘われた。

籠手を打つとみせて、面へきた。

竜馬は変化した。

だん。

と、突いた。

さな子の小さな体は、四、五間むこうに吹っ飛んだ。

「突きあり」

貞吉老人が、無表情に判定した。

さな子は、起きあがらない。

気を喪《うしな》っているのである。

竜馬は近づいて行って、面を脱がせ、胴の胸ひもを解いた。乳房が柔らかかった。のど輪に赤い斑点《はんてん》ができている。

「むっ」

と活を入れると、さな子は眼をあけた。涙がいっぱい溜まっている。

竜馬は、悲しくなった。さな子がなぜ涙を流しているのかは知らなかったし、臆測するのも面倒だったが、とにかく、さな子の悲しみが、竜馬にじかに伝わってきた。

「泣くんじゃないよ」

と、竜馬はいった。さな子はかぶりをふって、水、とかぼそくいった。

竜馬はすぐ井戸端へ出た。水を汲んだが、移しかえる容器がない。そのまま、つるべごと自分の口いっぱいに含み、道場に戻った。

「御容赦」

と、表情だけでそういって、いきなりさな子の唇に自分の唇をあて、水を流しこんでやった。

父親の貞吉大先生が、それを見ている。竜馬の行動が、あきれるほどすがすがしい。いかにも堂々としていて、毛ほどのいやらしさもないのである。

(ああ。——)

と嘆声の洩れるような思いで、竜馬の姿をみた。この男には及ばない、と貞吉老人は思った。

当道場の若先生千葉重太郎は、鳥取藩のお床几廻役《しょうぎまわりやく》として江戸屋敷に出仕しているが、数日前から、海防視察という藩命で、品海視察に出かけているらしい。

「いつ帰ります」

竜馬は、あの、毒にも薬にもならぬお人好しの重太郎が、なつかしくて仕様がない。

「さあ、いつだろうなあ」

貞吉老人は、そんな竜馬の気持がわかっているから、親としてうれしいらしい。

「御用だから、わからないよ」

そういって、自室に招じ入れ、あれこれと世間ばなしをはじめた。

「秋ですね」

竜馬は、庭を見ながらいった。

陽は落ちて、燈籠《とうろう》に灯が入っている。

「ああ、虫が鳴いていますね」

「鳴くよ。虫ぐらいは。――竜馬、お前はあいかわらず呑気で結構だな。世間では、攘夷だとか、勅諚だとか、天誅だといってさわいでいるのに」

「そうですか」

「京都も伏見寺田屋で大変な騒ぎがおこったらしいが、江戸も物騒になってきたよ。辻斬りが、滅法はやりだしている。町人も斬られるが、武士も斬られる。なんでも、夷狄《いてき》と戦争をおっぱじめるときの腕だめしをしておくそうだ」

「物騒だなあ」

すっとふすまがひらき、さな子が、お茶をもって入ってきた。

（おや）

髪もつややかに結い直しているし、化粧《けわい》もなおし、扇面《せんめん》散らしの美しい模様の衣裳に着更えている。

（ちっとも年をとらない）

竜馬は感心した。もう二十代の半ばはすぎているはずではないか。

さな子は、眼が切れ長のひとえで、きりっとした少年のような顔立ちだから、十八、九だといっても、それで通るのである。

さな子は、部屋のすみの腰屏風のそばまでさがり、火桶から鉄瓶《てつびん》をはずした。煎茶の支度をしている。

「ちかごろは、うちの重太郎までが、天朝様がどうの、攘夷がどうの、といいだしたよ」

「鳥取藩（池田家）は勤王の御藩風ですからな」

「千葉一門もそうだ」

そのとおりである。死んだ千葉周作やその子供たちが水戸家から禄を受けていたために門人に水戸侍が多く、江戸の道場としては、早くから尊王論議のやかましい塾風だった。

「それにしても、わが竜《りよう》さんは、のんきなものさ。なあ、さな子」

「ええ」

さな子は小さな声でいった。

「ところで、竜馬、こんどはどういう目的の出府だ」

「脱藩したんですよ」

「えっ」

「当分、かくまって頂こうと思いまして」

「おどろいたやつだな」

貞吉老人は、竜馬を見直したようである。

「もう土佐には帰りません。天下を棲家《すみか》として暮らします」


翌朝、起きると、雨。

竜馬は、がらっと雨戸を繰りあけた。

(嵐が来るのかな)

雲が早いし、樹々の梢《こずえ》がゆれている。風の力にねばりがあった。土佐うまれだから、嵐の予測には敏感なのである。

(来るのは、昼だな)

ほどなく、いつもの朝のように門人があつまってきた。みな傘をさし、足駄をはいているが、袴はびっしょりぬれている。

竜馬は、道場横の庭に出た。

「あっ坂本先生」

顔を知っている者も知らない顔も、みな竜馬のそばにあつまってきた。

「いつ、御出府なさったのです」

「きのうだ。ただし、鍛冶橋の土佐屋敷の連中にはだまっちょってくれ」

「私は土佐ですよ」

オッと失策《しくじ》った、という顔で、竜馬は頭をかいた。なるほどこの若者は国の郡奉行《こおりぶぎょう》の子で、山本明之助である。竜馬もよく知っている男だ。

「むろん、だまっていますけど」

若者は、くすくす笑っている。

「ところでそのお姿はなんです」

竜馬は、真白な晒《さらし》の褌《まわし》一本で、雨中に立っているのだ。

「みなも、脱げ。着物、大小、傘などは道場に置いて、ここにあつまれ。いまから攘夷の戦さごっこをするんじゃ」

高禄者の子弟もおれば、浪人の子もいる。

竜馬はまたたくまにそれらを素っ裸にして、一隊は大工組、一隊は触れ組、一隊は旗本、と三隊にわけ、それぞれに大将を設け、こまごまと仕事の分掌をきめたうえ、

「敵は嵐じゃ。昼には来るぞ。いそげ」

と、どなった。

まず触れ組が、近所へ駈けだした。

古い連中は、道場の伝説を知っている。竜馬が塾頭だったころ、嵐が好きで——というより嵐の予測がすきで、それがぴたりとあたった。予測するだけでなく、みなを素っ裸にして、風防ぎの作業をさせるのである。

触れ組は、近所へ触れ歩くのだ。雨戸に釘を打ちつけろ、窓には板を打っておけ、な

どと注意してまわる。道場の近所はぜんぶ町家で、恐縮しながら、これをありがたがった。

——坂本先生がえらいんだ。

近所の町人は、みな知っている。

むろん、道場、師匠の屋敷の風防ぎは、厳重すぎるほどにやらせた。その指揮ぶりはみごとなもので、三つの組の大将にこまごまと作業方法を教えたあとは、なにもいわない。

雨の庭に床几をもちだし、素っ裸になってすわっている。

ときどき、大声で笑う。作業をしているやつの恰好をみては、からかった。それだけで、どんどん事がはこんだ。

予測どおり昼前になって天地が晦冥《かいめい》し、瓦《かわら》が吹きとぶほどの大嵐になった。

一刻ばかり吹きあれて、あとはうそのように雨もあがったが、道場も近所も、ほとんど被害がなかった。

夕方、町人がぞろぞろ礼にきた。しかしそのときはもう竜馬は外出してしまっている。

風がやんでから、さな子と重太郎の嫁のお八寸《やす》が、婢女《はしため》をつかって、門人一同に甘酒を出した。

一同、道場でならんで啜《すす》った。

「うまいなあ」

山本明之助などはいった。

かんじんの竜馬がいないのが、歯がぬけたようで、さな子などは、

「のんきかとおもうとそそっかしくて、いったい、どうしたおつもりで生きていらっしゃるのかしら」

と苦笑した。

「しかし当道場の伝説《はなし》にはきいていましたが、坂本先生の采配ぶりは、はなし以上にみごとでありましたな」

そういう者がある。

さな子は、笑っている。

「いや、あの人については、故郷《くに》にもこんな話があります」

と同郷人の山本が、竜馬の年少のころの逸話を披露した。

十八歳のころ、というから、竜馬が千葉道場に入る前年のことだ。

高知城下の小高坂《こだかさ》に屋敷をもつ池田虎之進は、竜馬の父の八平と親友で、ある日、

「八平さん。チクとお前の息子《まん》の鼻垂れを貸してくれんかネヤ」

と、頼みにきた。池田虎之進は、現今《いま》の中村市を流れる四万十川《しまんとがわ》の堤防工事の普請奉行を命ぜられたのである。

配下が、要る。

「気心の知れた家の息子がええゆえ、頼みにきたんじゃ」

工事は、十区ほどに分け、竜馬は、そのうちの一区の長になった。人夫のおよそ百人もつかう。

各区、競争になった。ところがどの区でも、人夫は隙《すき》あらば怠けたり、喧嘩沙汰をおこしたりして、容易に工事はすすまない。各区の責任者は、ときには刀をぬいておどしたりした。

竜馬は、具同《ぐどう》村の堤防が、持ち場である。

ここだけは、ばかに早く進んだ。

普請奉行池田虎之進はふしぎでならず、何度か見回りにきたが、来るたびに、もっと不審に思うことがある。

竜馬はいつも、松の木によりかかって膝を抱いて居眠っているのである。

「竜馬、それでまあ、仕事が捗《はかど》るの」

「ほんまに」

竜馬もふしぎであった。自分の区の人夫だけは、いきいきと土を運んだり、石を積んだりして、しかもじつに陽気なのだ。

他の区より、半分の日数で仕あがってしまった。

池田虎之進がくわしく訊くと、竜馬はまず仕事の責任者を巧みにえらび、それぞれ分掌させ、競争させた。

「あとは、なにもせんのか」

「毎日出来ぐあいを検分して、褒美《ほうび》をやります」

この堤は、「竜馬の居眠り堤」という名で、土地ではいまだに語り伝えている。

閑話休題

幕末は、攘夷か、開国か、の時代である。

この小説にも、しきりと攘夷ということばが出てくる。当時、志士と名のつく連中は、ある時期までみな強烈な攘夷論者であった。

むろん、坂本竜馬も。

攘夷とは、開港をせまってくる外国を攘《う》ちはらうということで、物騒きわまりない。ところが、外交の衝《しょう》にあるのは、日本の唯一の政府である徳川幕府で、外国から押しきられるままに、一港、一港、開港していた。これに対する在野の志士群の反感が、反幕運動になってゆくのである。

攘夷論とは、どこからきたか。簡潔にいうと、

ひとつは、水戸学によって当時の教養人の常識になっていた神州思想。

いまひとつは、孝明天皇御自身の政治的無智からくるこのひとの外国恐怖・外人嫌悪思想を、志士群が御同情申しあげたこと。

いまひとつ加えるとすれば、当時の日本は、サムライの国家であった。かれらの独特の倫理観と、独特の気概が、

「醜夷、討つべし」

となったのである。

攘夷論大いに沸騰し、ときには志士が外人を殺傷する事件もしばしばおこり、当時、世界の有力国の新聞で、

ローニン

という日本語が、ナマでつかわれた。

サムライ、ハラキリといった言葉がいまなお世界語としてつかわれ、日本人に対する一種の畏敬感《いけいかん》、ときに恐怖感をおこさせる印象をもたせたのは、このときからである。

この攘夷さわぎは、日本史にとってそれなりに無意味ではなかった。

当時、同時期に、隣国のシナが、英国の武力を背景とした植民地政策のために、国家の体《てい》をなさぬまでに料理され、他方、ロシアも、領土的野心を露骨にみせはじめている。もし攘夷的気概が天下に満ちなかったならば、日本はどうなっているかわからなかったであろう。列強が、日本に対して、シナとはちがう扱いをしはじめたのは、一つには、サムライとの陸戦をおそれた。艦砲射撃ならべつとして、長期の陸戦には勝ち目はないとみた。

もっともこの日本観は、幕末だけでなく、すでに、それより三百年前の戦国初期、鹿

児島に上陸した最初の宣教師、聖フランシスコ・ザビエルが、おなじ観察をしている。上陸後、すぐ耶蘇会《ゼスイットかい》に報告書を送り、「非キリスト教国のうちいまだ日本人にまさる国民を見ない。行儀よく温良である。が、十四歳より双刀を帯び、侮辱、軽蔑に対しては一切容赦せぬ」とかき、また日本征服の野望のあったスペイン王に忠告し、「かれらはどんな強大な艦隊でも辟易《へきえき》せぬ。スペイン人を鏖《みなごろし》にせねばやめないだろう」

幕末にきた外国勢力も、おなじ実感をもったわけである。

生麦事件

前に、攘夷ばなしで、つい話が理におちたが、じつは、天下を衝撃させる「事件」がおこった。

竜馬が江戸についたころ、江戸中がこの事件のうわさで持ちきりだったのである。

「薩摩の殿様が、大そうな事をなさった」

と、町人までが、痛快そうにいう。

「攘夷をなすった」

そんな表現でいう者もある。

「さすが西国の雄藩島津家である」

武士たちは、そういった。薩摩藩の武勇というのは、戦国以来、天下の定評である。

竜馬の殿様の山内容堂も、

——兵するどく、馬騰《あが》る。

という巧みなことばで、薩摩の士風をたたえている。

この「事件」は、天下の攘夷志士を沸きたたせ、幕末における薩摩藩の株は、大きくあがった。

竜馬も、多少、あいまいなところのある攘夷主義者だが、かといって、御多分にもれない。いや、もれないどころか、本来が剣客だから、この「事件」のうわさにはすっかり昂奮し、

「詳しいことはわからんものかな」

と、手づるをさがしていた。ざんねんなことに、竜馬は、薩摩藩士を知らない。後年、西郷吉之助（隆盛）をはじめ薩摩藩士と緊密そのものになるのだが、いまのところ、どういう関係もなかった。

そこへ、例の嵐の日、清河八郎から使いの者がきた。嵐がすむと、すぐ道場をとびだしたのは、そのためである。

（清河は天下の事情通じゃ。例の一件、くわしく知っちょるじゃろ）

それに清河は、話術の名人である。事件を活写するだろうと、それが楽しみで、竜馬は清河の誘いだしに応じた。

場所は、ほんの近所の南伝馬町二丁目の輪違屋《わちがいや》惣五郎という質屋で、あとできけば亭主は、清河の郷里の村の出だそうで、清河のことを、若様、若様、とよんで、かげではずいぶん尽しているらしい。

清河は、公儀のお尋ね者だから、こういう庇護者から庇護者へと渡りあるいているのだろう。

訪ねると、離れにいた。

「いや、呼びたてて済まん」

相変らず、するどい眼だ。

「近所まで来たものだから、つい会いたくなってね、生麦《なまむぎ》の一件、君はどう思う」

「どう思う？」

竜馬は、どすんと腰をおろして、

「思うもなにも、わしは何も知っちょらん。あんたの口から聞きにきたんじゃ」

「あいかわらず、迂遠《うえん》だな」

「そうじゃ。あんたのような早耳男にうまれたかった」

「いや、その程度がいい。おれは早耳すぎて事を早急に決しすぎる。うしろをみると、誰もついて来ておらぬ。そういうことの繰りかえしばかりだ」

「さあ、聞こう」

竜馬は、瓢簞《ひょうたん》をひきよせた。

清河の瓢簞である。

「おい、それは」

と、清河は、竜馬がかかえている瓢簞を指さして、いやな顔をした。

「おれの酒だよ。――」

「ああ」

竜馬は寝ころんで、椀《わん》に酒を注いでいる。

（こいつ）

清河は舌打ちしたかったが、思いかえし、

「さて」

と膝に扇子を立てた。

「よう、講釈師のようじゃな」

竜馬は、真顔である。

「ばかめ」

清河は、弁じはじめた。

ところは、東海道の沿道生麦村。ここは江戸日本橋から六里の里程で、現今《いま》は横浜市鶴見区にある。当時は、近在の漁師の女房連が、蛤《はまぐり》、たこ、いかなどを煮あげては、街道をゆく旅人に売りつけていただけの貧寒たる部落である。この「事件」がおこったために、おそらく、日本史のつづくかぎり、消し去られることのない地名になった。

文久二年八月二十一日。

江戸を早暁に発った島津久光を中心とする薩摩藩の行列が、生麦にさしかかったのは午後二時半ごろである。

供の人数は、七百余人。

馬六十駄《だ》、長持八十棹《さお》、しかもそのほかにこもをかぶせて普通の荷に擬装した大きな車載の物体が、数駄ごろごろと曳かれてゆく。大砲である。大名行列に大砲を曳くなどは、幕威さかんなころなら、それだけで島津家はお取りつぶしになるところだが、この当節、薩摩藩はすでに幕府などは眼中になかった。

供頭《ともがしら》。——

これは、二人である。どちらも久光お気に入りの血気剽悍《ひょうかん》の士で、海江田《かえだ》武次（有村俊斎ともいった。明治後信義。子爵となる）

奈良原喜左衛門（例の寺田屋事件を鎮圧した喜八郎の実兄）

のふたりである。両人とも、薩摩の家中でも、強烈な攘夷論者として知られていた。

大名行列の供頭というのは一日交代のもので、この日は、奈良原喜左衛門の当番にあたっていた。

奈良原は、剣の達者である。腰には、二尺五寸近江大掾《おうみのだいじょう》藤原忠広を帯び、徒歩で、久光の駕籠わきに従っていた。

街道は、快晴である。

しかも、日曜日であった。

もっとも薩摩藩士は日曜日のなんたるかを知らないが、風習の別な一群が、このむこうの横浜に群居している。攘夷論者どものいう「夷人」である。

かれらには、日曜日、郊外を遊歩するくせがある。

この不幸な英国人たちも、そうだった。

横浜に絹問屋をひらく英国人W・マーシャルは、ちょうど、香港の英国商人に嫁している従妹のボロデールがたまたま遊びにきていたので、

「馬で、川崎大師を見物に行かないか」

とさそった。

二人は、知人の商社社員W・C・クラークと、香港に店をもつC・L・リチャードソンをさそい、四人になった。

悲劇は、その錯覚にある。

リチャードソンは、当時、世界に冠絶した大国だった英国の出稼《でかせ》ぎ商人である。かつて香港にいて、中国人に接していた。ムチをあげれば逃げまわるのが、東洋人である、とおもっていた。

かれは、横浜にきて、日も浅い。

当然、日本人も同然であろうとおもっていたし、他の三人もおなじである。

そこへ、むこうから薩摩の大名行列がやってきた。

日本のごく常識的な習慣を知っておれば、避けたはずである。

たとえば、たまたまかれらより数時間前、一人の米人が、この行列に出あっている。日本語の多少できるヴァンリードという人物で、かれはすぐ馬から降り、馬の口をとりながら道わきに立ち、島津久光の駕籠が通るときは脱帽して敬礼した。

そのあと、かれは生麦事件をきき、「かれらは日本の風習を知らずに傲慢にふるまった。当然自分がまねいた災難である」といった。

日本の風習では、いや法律といってもいいが、行列の供先《ともさき》を横切ることは最大の非礼で、斬りすててもいいことになっている。

現に薩摩藩では、六月二十三日付による公文書で、幕府に届け出ている。意訳すると、

ちかごろ外国人どもが、騎乗で数騎押しならび、不作法にもあちこちを乗りまわしている。

なるべくは堪忍《かんにん》はするが、もし万一、先方より無礼があったときは堪忍しがたいこともありうる。それゆえ、大名往来に関するわが国の定法《じようほう》を、各国長官の者へ幕府からよろしく徹底しておいてもらいたい。

とある。

当然、外国居留民のほうで留意すべきであろう。

もっとも、日本の風習を理解しなくても外国人間には日本の武士に対する恐怖心がつ

よく、この時期、通訳官として赴任してきたばかりの英国公使館員アーネスト・サトーは、その手記のなかで、「日本刀は剃刀《かみそり》のごとく鋭利で、怖るべき創痍《そうい》をあたえる。のみならず日本人は、斬る以上は相手を寸断しても息の根をとめてしまうという風があった。だから西洋人は、刀を二本差した男をみれば刺客ではないかと思い、通りすぎて命があったら、ほっとして神に感謝したものである」といっている。

香港ずれのした不幸な四人の英国人は、そういうすべてを、軽くみた。

日曜日。

快晴でもある。

馬上、談笑しながら東へ進んだ。むこうから薩摩の行列がやってくるのだが、歩度をゆるめようともせず、むろん、馬からおりようともしない。

当時、このあたりの街道は、馬二頭をならべれば一ぱいという狭さで、当然、衝突はまぬがれない。相手が大名行列でなくただの集団であっても、馬をおりて、道わきへ避けるのが国情の相違を越えた当然な処置であるべきだったろう。

当然、馬上の英国人団は、薩摩の行列の先頭と衝突した。

「おりろ、おりろ」

と、中小姓《ちゆうごしよう》が、どなった。

が、かれらはなお馬上にあり、行列の左側へ圧倒されながらも、馬を進めてゆく。ついに路上、人と馬で混雑し、リチャードソンらは、行列のなかに揉みこまれてしまった。

「おりろ、おりろ」

薩摩藩士は、なお叫んだ。このままでゆけば、英人の馬は、なお進んでついには行列中央の島津久光の駕籠に衝突せぬともかぎらない。

「何を騒いでおるか」

と、駕籠わきにいた供頭の奈良原喜左衛門は左右にきいた。

「先頭のほうで、夷人が行列に乗り入れております」

とたれかが答えた。

このとき奈良原、すばやく肩衣《かたぎぬ》をはねあげ、一刀をひねるや、いっさんに駈け出し、近習役の群れを突きとばし、中小姓の中をつきぬけ、前へ前へと走った。

一説では、島津久光が、駕籠の引戸《ひきど》をひらき、

「斬れ、斬れ」

といって顔をひっこめた、という。

とにかく、奈良原は走った。

現場につくや、例の藤原忠広二尺五寸のツカをにぎって飛びあがり、

「きあーっ」

と、薩摩の示現流独特の「猿叫《えんきよう》」と他流からよばれる不気味な気合をあげた。

白刃、空中できらめき、馬上のリチャードソンの左胴から腹にかけて斬りさげた。

血煙りのあがるのが、行列の中ごろからでもみえたといわれる。

リチャードソンは手綱を右手にもちかえ、左手で傷口をおさえて馬を駆って逃げた。

残された二人の男も、他の藩士からそれぞれ傷を負わされ、ボロデール夫人のみは無事だったが、いずれも馬腹を蹴って離脱し、遁走した。

奈良原に斬られたリチャードソンは、もっとも不幸であった。血を滴《したた》らせて一丁ほど逃げたが、なお追ってきた鉄砲組の久木村《くきむら》利休が、これまた飛びあがって斬った。奈良原とおなじ場所を斬った。傷口をおさえていたリチャードソンの左手が切り落され、傷はさらに深くなった。

それでもリチャードソンはなお十丁ほども逃げのび、松並木の下にころがり落ちた。

なお、息があった。

そこへ追いついた海江田武次が、

「武士の情けである」

と、とどめを刺している。

現今《いま》からみれば、蛮風きわまりない事件だが、当時の日本人は、こう処置することが至上の正義だと心得ていた。

国情、やむをえない。

英国人こそ、災難であったろう。

この事件がのちに薩英戦争をおこすにいたるのだが、当時、南伝馬町の質屋の離れで清河から話をきいた竜馬はそこまで予測していない。

やったのう、と馬鹿のように感心している。

数日経《た》った。

なお、千葉重太郎は「品海視察」から帰って来ない。

「どうしたのだろう。藩命とはいえ、重さんは、遅いですな」

竜馬は、さな子にいった。

「ええ」

この朝、さな子は静かである。竜馬のために、茶を点《た》ててやっていた。

「藩命は、品川海岸の視察だけでしょう」

「ええ」

なにか、言い淀んでいる。重太郎の消息はさな子には推察がついているらしい。

「坂本様は、本当に脱藩なさったのでございますか」

「本当ですよ」

「国事に奔走するために？」

うつむいたまま、手をまわして茶筅《ちゃせん》をとりあげた。

「まあ、そうです。しかしなぜ左様なことを問われます」

「でも。——」

茶筅を入れながら、さな子は、ふとからかうような眼をあげた。

「毎日、こうして何もせずにぶらぶらしていらっしゃるのですもの。いっこうに国事に御奔走なさっているご様子もない……」

「なるほど、そういわれるとそうですな」

「ひとごとみたい」

「いや、ものには機というものがありましてな。いまはこうでも、機に乗じてこの竜馬が出れば、天下を驚倒させるような大ごとがおこりますぞ」

「おやおや」

さな子は、笑いながら竜馬の前に茶碗を置いた。

「ありがとう」

竜馬に作法はない。持ちあげて、大きく喫《の》んだ。

さな子はそれを見ながら、

「それで、昼寝をしたり毎日ごろごろしていらっしゃるのでございますか」

「芝居の由良之助（大石内蔵助）の心境です」

「でも、由良之助はあれはあれで、かげでは同志のみなさまに指図をしたり、なだめたり手紙をかいたり、いそがしそうではございませぬか」

「兄貴はいかがです」

「わたくしの？」

「そう、重太郎さん」

「ちかごろはずいぶんと変わりまして、大へんな攘夷熱でございます。こんども、ほんとうは品海視察にかこつけて、横浜の夷人館の様子をうかがい、夷人の首の五つや六つは斬って、まかりちがえばその場で腹を切り、幕府に攘夷断行の決意をうながす、といって出ました。坂本様、いかがでございます」

「ほう、あの重さんが」

「ええ、兄でさえ。——それにひきかえ」

「坂本竜馬は、ですか」

と竜馬は頭をかき、やがてさな子がとり出してきた重太郎の、妹さな子への置き手紙を披見した。「宝刀染めがたし洋夷の血」という水戸の藤田東湖の詩句が、文中にある。


翌日午後、重太郎が帰ってきた。

笠を門わきで小者に渡し、刀を玄関でお八寸に渡してから、

「なに、竜さんがきている？」

ぱっと喜色をうかべた。

「なんだァ？　竜さんは脱藩《くにぬけ》をしてきた？　やるもんだねえ。——それで、いまは？」

「お昼寝をしていらっしゃいます」

「ああそうか」

ちょっと拍子ぬけの体《てい》だったが、それでも廊下をいそぎ足に突きとおって、竜馬の部屋のふすまをあけ、

「竜さん、おれだ、帰った。話はあとで」

そのまま閉めて行ってしまった。

(ばかに気負っちょるのう)

竜馬も、起きあがってぼんやりしている。

重太郎は、老父にあいさつをし、旅装を解き、井戸端でざあざあ水をかぶりながら、

「お八寸、さな子、聞こえるか。酒の支度をしておいてくれ」

せかせかといった。

「聞こえたか、今夜は竜さんと夜あかしで飲むんだ」

台所で、お八寸とさな子が、顔を見合わせて忍び笑いをした。

「変なお兄さまですこと」

「思わぬお客さまがみえているので、お調子がくるっておしまいになったのでしょう」

(だけど、横浜で夷人を斬ったのかしら)

さな子は、それが気がかりだった。

夕方、ささやかな酒宴になった。

「重さん、横浜で斬《や》ったかね」

「やらないよ」

と、片眼をつぶった。

お八寸がお給仕をしている。心配するから、お八寸の前でその話はだまっていてくれ、という合図である。

やがてお八寸が立ち、入れかわってさな子が給仕役をつとめた。

「おれは、やったよ」

重太郎が、ぐっと杯をあおっていった。

当時の横浜の夷人というのはずいぶん横暴な連中が多かった。かれらを相手に日用品の小商いをしている日本人もわるい。夷人館の使用人と組んでずいぶんあくどいこともしたから、夷人が日本人をなぐったりする事件がしばしばおこった。

それが針小棒大《しんしょうぼうだい》につたわり、攘夷志士を刺戟した。

重太郎は、横浜海岸通にある幕府の奉行所の横を通っていたとき、むこうから英国水兵三人がやってきた。

みな、雲をつくような大男である。それが重太郎をみて、なぜか、笑った。

「なぜ笑った」

ともいわず、重太郎は、すれちがいざま、右はしの男を大きく投げとばした。

男は一回転して地に落ち、頭をうって気絶した。

——江戸桶町の千葉重太郎だ。仲間をよびたければ船ごとよんで来い。相手になってやる。

もっとも、英語でいったわけではなかったから、相手の水兵には通じなかった。

「それで、どうした」

と、竜馬。

「いや、あとの二人は、意気地がない。投げられたなかまをかばいながら逃げたよ。竜さん、あんたは存外な物知りだからきくが、せえらあ（水兵）てなァ、あれは足軽かね、士分かね」

「どっちならいいんだ」

「それァ、士分よ。せっかく日本武士の面目を見せてつかわしたのに相手が足軽じゃ、千葉重太郎の名にかかわるとおもうんだ」

「お兄様」

さな子までが笑っている。

「そんなに気になさるのなら、相手に、足軽か士分か、お訊きなされればよかったのに」

「そうそう、そうだった」

重太郎は、肩で笑って、膳の上の杯をとりあげた。

それをぐっと干してから、竜馬に渡し、

「ところで竜さん、相談がある」

「どんなことだ」

竜馬は、さな子に注がれながらいった。

「重大なことだ。賛成してくれるか」

「ああ、するとも」

「簡単だなあ。事は人の一命にかかわることだぜ」

「それァそうだろう。武士が重大なこと、というのは、みな生命《いのち》にかかわったことだ。わしの命をとる、ちゅうのかね」

「それでも賛成するか」

「わしは何にでも賛成する男だよ」

「あっははは」

重太郎もばかばかしくなった。

「竜さんにはかなわない。何にでも賛成して何にでも命を投げだしてしまうのか」

「ああ、どんどん投げだしてしまう」

「いや、おどろいた。風呂桶の焚き口へむけて薪《まき》ざっぽうでもほうりこむようないい方だな。しかし竜さん、薪は薪屋に行けば何束《なんたば》でもあるが、命は一つしかないんだぜ」

「一つしかないからどんどん投げこむんだ。一つしかないとおもって尼さんが壺金《つぼがね》でも抱いているように大事にしていたところで、人生の大事は成るか」

「言うねえ」

重太郎は竜馬から杯をかえしてもらった。

「しかし、竜さん、あんたの命の話だぜ」

「そうさ、他人《ひと》の命は他人様それぞれの料簡で始末すればいいが、おれの命はおれの一存で成敗《せいばい》できる」

「でも土佐のお国許などでは」

さな子が横あいから探るような眼でいった。

「おなげき遊ばす女《ひと》がいらっしゃるのではありませんか」

「乙女姉さんのことですか。私は乙女姉さんに育てられたんだが、あのひとは気のつよい女人《にょにん》でしてね。——人の命は事を成すためにある、といった。また、死を怖れては大事は成せぬ、牛裂きに逢うて死するも磔《はりつけ》にあうもまたは席上にて楽しく死するも、その死するにおいては異ることなし、されば武士は英大なることを思うべし、と申しました。——いや、女だてらにあらっぽいことを弟に教えたもんだ」

「ところで竜さん、あんたは、勝海舟という奸人《かんじん》の名を知っているだろう」

「勝。——」

竜馬は、眼の前に杯をあげ、その白い釉《うわぐすり》の肌をみつめながら、聞《き》きとれぬほどの声でつぶやいた。

「勝かね」

声が、さらに低い。

幕府の高官である。この人物は、いわゆる旗本八万騎のなかでは、奇妙な経歴をもっていた。奇妙、といえば経歴だけではなく、技能といい、識見といい、ずいぶん変わっている。

竜馬は、この年になるまで、同時代人であこがれるほどの人物をもたなかったが、勝海舟という名に対してだけは、特別な気持をもっていた。

（あれは、日本随一の男子だ）

竜馬が第二回江戸留学を終えて国へ帰っていた万延元年正月、勝は、わずか百トン（異説があり、二百五十トン、または二百九十二トンともいう）、百馬力の木造三本マスト・オランダ製蒸気船咸臨丸《かんりんまる》の艦長となり、太平洋の風浪を冒《おか》してアメリカへ行っている。

この快挙は、攘夷論のさかんな当時だから志士たちはことさらに黙殺し、天下の評判にはならなかったが、むしろ外国人のほうがおどろいた。出発にさきだって駐日米国公使ハリスが、艦長以下日本人で操船するということをきいて、その技倆をあやぶみ、

――不可能に近い。

と、外国船を用いることを幕府にすすめた。

なるほどこの航海の目的は、幕府の遣米使節団（正使新見豊前守・軍艦奉行木村摂津《せっつの》守《かみ》）を送るためにあり、乗船が外国からの傭船《ようせん》でもさしつかえない。

が、幕府はその新設海軍に遠洋航海の経験をつけさせるため、日本軍艦の派遣を主張

した。ハリスはやむなく、ちょうど来日していた米国測量船のブルーク大尉以下の乗組員を助言者として乗船させることを幕府にすすめ、幕府もこの案には服した。

しかし、咸臨丸士官全員はこれを不満とし、航海中もほとんど日本人の手でやった。

当時木村摂津守の従者という名目で乗船していた福沢諭吉（慶応義塾創始者）も、

「航海中には一切ブルークの助言は借りず、測量するにも日本人が測量し、ブルークの測量したものと見合せるだけの話で、米人に少しでも助言は借りなかった」

とその自伝でいっている（もっとも航海中何度も大時化《おおしけ》にあい、塩飽《しあく》列島出身の水夫たちでさえ船酔いでこまったとき、こういうことに馴れている米国水兵たちは大いに役立った）。

この前後のことを、海舟自身、「氷川清話」の速記のなかでこう語っている。

「ちょうどその頃、おれは熱病をわずらっていたけれど、畳の上で犬死するよりは、同じくなら軍艦の中で死ぬるがましだと思ったから頭痛でうんうん言っているもかまわず、かねて通知しておいた出帆期日もせまったから、妻には、——ちょっと品川まで船を見に行く、と言いのこして、向う鉢巻ですぐ咸臨丸へ乗りこんだよ」

その勝が、ちかごろ軍艦奉行並《なみ》という顕職についている。重太郎はその勝を殺《や》る、というのだ。

「竜さん、いつ殺ろう」

重太郎は気が早い。

勝海舟

「なるほど勝を殺るとはねえ」

竜馬はあごをなでた。

「いやかい？」

「まあ重さん、一ッ」

竜馬は銚子をとりあげながら、

「いったい勝海舟とはどんな男だ」

と、とぼけてみた。

「奸物さ」

重太郎は単純である。

竜馬はにこにこ笑って、

「そうだろうとも。いやしくも故周作大先生の甥御《おいご》千葉重太郎が天誅を加えようとするほどのやつだからな。天人ともにゆるしがたい奸物に相違ない。つらなんぞも大江山の鬼とどっちだ」

「竜さん」

重太郎は、いやな顔をした。からかわれているとおもったのだろう。

「重さんは勝の顔を知っているのかい」

「知らないよ」

重太郎は、ぷっとふくれた。

さな子は横でくすくす笑っている。

竜馬は船好きだから、かつての幕府軍艦咸臨丸艦長であり、いまの軍艦奉行並の海舟がどんな男であるかは、すこし知っている。

幕臣とはいえ、小禄の御家人《ごけにん》の出で、門閥主義の幕府が、多少でも人材を求めるようになった時代でなければ、とうてい陽の眼をみなかったはずの家系である。

勝海舟、通称は麟太郎《りんたろう》。

文政六年正月、本所亀沢町にうまれた。ひつじうまれの竜馬よりも十二歳上《ひとまわりうえ》である。

幼年時代は、貧窮をきわめた。

その時代のことを、「経歴世変談」という題の、明治後勝自身が口うつしして速記させた記録から想像してみよう。

「おれが子供のときには非常に貧乏で、ある年の暮などには、どこでも松飾りの用意などをしているのに、おれの家では、餅を搗《つ》く銭がなかった。ところが本所の親族の所から、餅をやるから取りに来いと言ってよこしたので、おれはそれを貰いに行って、風呂敷に包んで背負って家に帰る途中、ちょうど両国橋のうえであったが、どうしたはずみか、風呂敷がたちまち破れて、せっかくもらった餅がみんな地上に落ち散ってしまった」

当時、江戸の市中といっても、日が暮れてしまえば手さぐりで歩かねばならぬほど暗い。

「道が暗闇《まっくら》がりで、それを拾うにも拾うことができなかった。もっとも二つ三つは拾ったが、あまりいまいましかったものだから、これも橋の上から川の中へ投げこんで帰って来たことがあったっけ」

母はおのぶ。

父は小吉。

小吉は、世話ずきで一種の市井《しせい》の傑物だったというが、気様気儘《きようきまま》に暮らして家計をかえりみない。勝は、自分の新婚当時のことを「親は隠居して腰ぬけであったから、実に困窮した」といっている。小吉は小吉で「夢酔独言《むすいどくげん》」という速記録をのこし、「今は楽隠居になった（麟太郎のおかげで）。しかし麟太郎ではなくおれのような子供ができたらこの楽はできまいぜ」と、正直に頭をかくような人柄であった。

千葉重太郎が暗殺しようという勝海舟とはどんな人物なのか。

いましばらく、海舟の直話《じきわ》によって語りすすめてみよう。

「おれが本当に修業したのは剣術ばかりさ。ぜんたい、おれの家が剣術の家筋だから」

と勝がいうとおり、おやじの小吉も、無学でつかみどころのない気楽者だったが、剣術だけはできた。

「おやじは」

と、ふたことめに、海舟はいう。小吉、通称は左衛門太郎といい、旗本の男谷家《おたにけ》から貧乏御家人の勝家に養子にきた。

金もないのに通人《つうじん》で、根っからの世話ずきで、しかも喧嘩に眼がない。御直参のくせに町の無頼の徒とつきあい、

「先生、先生」

とたてられてよろこんでいた。三百年の江戸の都市文化が凝《こ》って、ひとりの小吉を生みおとしたような男である。

学問もなく、軽率で無欲で、おっちょこちょいだが、存外、智恵のふかいところがあり、「人間通」とでもいうべき人物だった。

その小吉の言いのこした語録に、

「むかしはおれもずいぶん暴悪（乱暴）なことをした。それでも天の罰を受けずおれが身をこれまで無事にたもちしはフシギだと思う。さりながら、そういう暴悪の暮らしの

なかでもおれは多くの人を、金銀をも惜しまずに世話をしてやり、また人々の大事の場合も助けてやったから、それゆえにすこしは天の恵みがあった」

天の恵みとは、息子の麟太郎が意外に英才だったということだ。こんなことをぬけぬけとよろこぶところ、小吉はよほど無邪気な人柄だったのであろう。

「息子がしつまい（意味不明）ゆえに、益友を友として悪友につきあわず、武芸に遊んでいておれには孝心にしてくれて」

「いまは楽隠居になった。孫やその子はよくよく義邦《よしくに》（海舟）の通りにして子々孫々の栄えるように心掛けるがいいぜ」

小吉といえども、この時代の扶持《ふち》取りの武士だから、習性として子孫の繁栄をねがっている。

つぎはこの暴悪おやじの子孫への説教である。

「男子は、九歳のときからほかのことを捨てて学文《がくもん》して、武術に昼夜身を送り、諸々《もろもろ》の著述本をみるべし。下手《へた》の学問よりはるかにましだから。——一芸は諸人にぬき出てたくましくして、旦那（将軍）のためには極忠をつくし、親のために孝道をつくし、妻子には」

と説教をしたあげく、この時代の人間としてはめずらしいことをいっている。

「友達には信義をもってまじわり……」

ということだ。友情、友愛というのは、明治以後の輸入道徳で、当時、武士は忠孝、という縦の道徳が主であった。小吉が自分の半生から自得した自然な道徳なのであろう。

その子の海舟も、多少似ている。

「おれもこれまでいろんな人と近付きになったが、新門の辰五郎、薬罐《やかん》の八、幇間《たいこもち》の君太夫、八百松《やおまつ》の松、松源の婆ァ、こういう連中はおれの一番の友達になった」

「とにかくおやじは」

と、海舟はその直話でいう。

「骨を折っておれを修業させようと思って、当時剣術の指南をしていた島田虎之助というひとのところへ連れて行った」

当時十六歳である。それより前に伯父の男谷精一郎の門で多少は学んだらしいが、九歳のころ、奇禍《きか》があった。

実は麟太郎、七つのときに幕閣から召され、十二代将軍家慶《いえよし》の五男初之丞の遊び相手として近侍していたのだが、九つのとき、路上で猛犬に襲われ睾丸《こうがん》を噛まれた。駈けつけた外科も、これはいのちはあるまい、と診断したのだが、とにかく縫ってもらったところ七十日で全治した。それ以来、十六のとしまで剣術はやめていた様子である。

このころ、島田虎之助といえば、江戸の男谷精一郎、柳川の大石進とならんで天下の三剣人といわれた男であり、勝が入門したころには、郷国の豊前《ぶぜん》中津から出府して、浅草新堀に道場をひらいていた。

「この人は世間なみの撃剣家とちがうところがあって」

と、勝は、島田の言葉をこう語っている。

――いまどきみながやりおる剣術は、型ばかりだ。折角のことに、足下《そっか》は、真正の剣術をやりなさい。

勝は、道場に寄宿した。

島田は、勝を見こんでとくべつな稽古をつけた。毎日日課としての道場稽古がすむと、勝だけは日暮から稽古着一枚で王子権現まで走らせるのである。

まず、拝殿の礎石に腰をおろし、一種の座禅をさせ、心胆を練らせる。そのあとひとり木剣をふり、また座禅をする。これを夜明けまで五、六回くりかえすのである。

そのあとすぐ道場に帰って朝稽古をやり、また夕方になれば王子権現の境内へ出かけてゆく。

一日として欠かさなかった。

いつねむるのか、というようなものだが、海舟はもともと機略縦横、座談の名人でもあるし、多少の法螺ぐせのある男だから、割りびきをするとしても、まず、よほど一途《いちず》な青年期であったにちがいない。

「この時分には、寒中足袋《たび》もはかず、袷《あわせ》一枚で平気だったよ。暑さ寒さなどということはどんな事やらほとんど知らなかった。ほんとに体は、鉄同然だった」

その後、島田虎之助先生が、——剣術の奥義《おうぎ》をきわめるにはまず禅学を始めよ、とすすめ、牛島の弘福寺で修行した。

修行四ヵ年——。

「この座禅と剣術とがおれの土台になって、後年、大そう為めになった。あの時分（徳川瓦解のころ）ずいぶん刺客やなにかにおびやかされたが、いつも手取りにした。この勇気と胆力は畢竟《ひっきょう》、この二つに養われたのだ」

勝は、二十二歳で剣術をやめ、蘭学のなかでもとくに兵学を学ぼうとした。

当時、蘭学といえば医術にきまっていた。洋式兵学を学ぼうとした点、勝はやはり世間より半歩ぬきんでている。

幕府に天文屋敷という役所がある。

天体を観測して暦をつくる役所で、すでに元禄のはじめごろからあった。

洋式ではない。日本ではすでに奈良朝以前の天武天皇四年、大和《やまと》の飛鳥《あすか》に占星台をつくり、その後、陰陽寮をもって天文測候をさせ、千年を経た。以後、そのしごとを、幕府の天文屋敷が継いでいる。

はじめは神田、ついで牛込、さらに浅草に移った。

勝の青年時代、この天文屋敷に、オランダ語の翻訳局が設けられた。

その翻訳局に、箕作阮甫《みつくりげんぽ》という蘭学の、当時江戸の権威だった人物がいる。

もと作州津山藩の侍医であった。余談だが阮甫の家系から、のちに東京師範学校摂理になった箕作秋坪《しゅうへい》（養子）、その次男の菊池大麓《だいろく》（のちに男爵、東京・京都帝大総長）、さらに阮甫の末娘の婿の箕作省吾は若くて死んだが、幕末の地理学者として知られ、その子箕作麟祥《りんしょう》は、維新後法制学者として活躍し、功によって男爵をもらっている。

その蘭学者箕作阮甫。

勝は、ここへ、入門をたのみに行った。

「あんたは、御直参《ごじきさん》だね」

と、箕作はいった。

箕作阮甫というのは、食いしばったような口許《くちもと》の男で、眼が気味わるいほど大きく、しかも白眼がちで、ぎょろりとしている。

「ぜひ、入門させてください」

「ことわるよ」

「なにか私に、お気に召さぬところがあるなら、なおします」

「こういっちゃなんだが、旗本、御家人の子弟というのは代々江戸住いで、腰がぬけている。私も津山藩から出て幕臣御取立《おとりたて》にあずかっている関係上、幕臣のなかから英才をそだてたいと思い、ずいぶんと骨を折ってみたが、ふしぎと長続きした者がない。蘭学とは野暮ったい努力の要るもので、江戸の水道で育った者にはむかないようだ。この道だけは、田舎者がいい」

勝は、むっとした。

が、怒るわけにもいかない。

幕臣の子弟のだらしなさについては、勝自身のほうがよく知っている。

「蘭学は小唄や三味線をならうようにはいかない」

と箕作はいったというし、また、

「私の塾の連中の勉強ぶりをみていると、将来国家をになうのは田舎者で、旗本八万騎の子弟ではないような気がする」

ともいったという。

当時まだ黒船さわぎよりも以前だったが、幕府はやがて崩れるかもしれぬ、という危機感を勝がもったのは、このときからだったといわれる。

やむなく勝は箕作のもとを辞し、当時、赤坂田町の筑前黒田家の藩邸に住んでいた永井助吉という同藩の蘭学者についた。このため勝は、赤坂田町に引越している。

その前年妻帯し、この年に長女夢子がうまれていた。家族は六人、家は三間、「それァ、貧乏だったよ。妻は、日《ひ》蔭町《かげちょう》で買った一筋の帯を三年締めっぱなしだったし、おれは寒中でも稽古着と袴だけさ」

勝の窮乏と不遇の時代は長かったが、嘉永六年、ペリーの来航がかれを世に出した。幕命により、長崎で蘭人から海軍を伝習することになったのは、三十三歳。

ついで、三十七歳で軍艦操練所教師方頭取《とうどり》となり、その七月、赤坂の元氷川下《もとひかわした》に転居した。やっと人がましい屋敷に住むような身になった。

勝のうまれた本所亀沢町の家はひどいぼろ家で、父の小吉が幕府のお叱りを受けて、同役の家に家族一同おあずけになったとき、道具屋をよんで家を売った。道具屋が値ぶみしたのがたった四両二分。

「それでもお武家様だからこれだけに買うのですよ」

同居させられた同役の家というのがこれもひどい家で、二間しかなかった。この二間に二家族十人ほどが折り重なるようにして住んだというから、当時の下級御家人の暮しが知れるというものだろう。

「その後、立身して千石になった時にはよかったが、それが間もなく御免になったときなどは妻が困った。おれの家は浪人の食客がごろごろしていたからね。ところがおれが出たかと思うと罷《や》める、のくりかえしだったから、台所はいつも火の車だ」

勝は、直言家で、上司の無能を憎むところが異常につよかった。だけでなく、皮肉屋で舌は人一倍まわったから、上役から好かれない。

たとえば、咸臨丸で米国から帰ってきたころのことだ。

万延元年五月五日、浦賀に帰航し、翌々日、木村摂津守とともに将軍家茂《いえもち》に拝謁した。

かたわらから老中の一人が、

「勝、そちは一種の眼光をそなえた人物であるから、さだめし夷国に渡って、とくべつに眼をつけたところがあろう。それを詳《つまびら》かに言上せよ」

といった。

「いや、人間のすることは古今東西同じもので、アメリカ国とて別に異《い》なることはござりませぬ」

「いやいや、左様であるまい。御前じゃ、珍談奇譚《ちんだんきだん》などを申しあげい」

「左様」

勝は、薄ら笑った。

「すこし眼のつきましたのは、アメリカでは政府でも民間でも、およそ人の上に立つ者はみなその地位相応に利口でございます。この点ばかりは、まったくわが国と反対のように思いまする」

門閥主義の徳川体制ではもはや国家はたもてぬ、という意味が言外にある。

が、老中は、将軍の前で自分たちを愚弄《ぐろう》した、とみた。

「ひかえろっ」

とどなった。

勝は、渡米によって、幕府より日本国を第一に考えるようになった。当時の幕臣としては、危険思想といっていい。

「夷臭《いしゅう》、夷臭」

と千葉重太郎は、眉をしかめながら、

「勝は、魂の底まで夷臭（外国かぶれ）の滲《し》みこんだ男だ。攘夷の手はじめは、まず勝を斃《たお》すことからだよ、竜さん」

重太郎は、酔っている。

「重さんの話もむずかしくなったもんだねえ」

竜馬は、杯をとりあげながら、くすっと笑った。

重太郎の攘夷思想は、当今はやりの水戸学からきたものである。

神州思想というやつだ。

一民族の居住地を神の縄張りとみ、神聖とみ、異民族が足をふみ入れると穢《けが》れる、という土俗思想は、なにも日本にかぎったことではない。

ニューギニアの未開人にさえある。ふるい時代、ヨーロッパにもあった。

水戸学は、この土俗思想を調味料として、中国の尊王賤覇《せんぱ》（王家を尊しとし、武力でひらいた政府を低しとする考え）の思想を中心としたもので、思想というよりも、宗教味をおびていた。

この宗教的攘夷思想が、幕末一般の思潮である。

これを政争の道具に切りかえ、倒幕の攻め道具に仕たてあげたのが、竜馬の時期よりも数年あとの長州藩、薩摩藩である。政治的攘夷思想というべきだろう。

薩長が、宗教的攘夷思想の非をさとってひそかに外国と手をにぎり、軍隊を洋式化して幕府を倒した。

簡単にいえば、それが明治維新である。

が、竜馬のこの時期は、武市半平太も、桂小五郎も、西郷吉之助も、清河八郎も、みな宗教的攘夷論者の段階にあった。

まして、仲間から影響をうけていつのまにか「志士」になってしまっている千葉重太郎などは、そうであった。

竜馬も、時代の子だ。

夷狄攘ちはらうべし、という攘夷主義者であったが、ただどうも武市やこの重太郎らの、

「神州」

ということがわからない。

妙な学問をしていないだけに、ものを平明にみることができた。

（なぜ神州かい。神というのは、日本では上古の未開人のことじゃ。未開にもどれ、ちゅうのは、世の流れに反することじゃ。ああいう神がかった馬鹿者《べこのかぁ》どもの理屈には、おれはなっとくできんぞ）

が、根が利口な男だ。

そういう連中とは、つきあっても議論はしない。

（宗旨の議論になるだけじゃ。世に、他宗排撃の宗旨論ほどむだなものはない）

だから、いつも愚のごとくにこにこ笑っている。

「竜さん、いつ勝を殺《や》る」

「おお、いつでもいいぞ」

竜馬は景気よくいった。

大賛成した、というのだ。どういう心境だったか、こういう野放図な人間の心境など、臆測するだけむだである。

「軍陣の門出《かどで》だ、門出だ」

といって、竜馬はその夜、大いに飲んだ。

軍艦奉行並の勝麟太郎は、五日に一度は、築地の軍艦操練所へでかける。

「その途中で待ち伏せて斬ればよい」

と、千葉重太郎はいった。

「どうだ、竜さん、妙案だろう」

「そのとおりだ」

竜馬は、なぜか、眼を輝かせはじめた。

翌朝、眼がさめると、ふすまごしに、さな子の声がした。

「あの、お眼ざめでございましたら、兄がちょっとお部屋まできていただきたい、と申しておりますけど」

あっ、と飛び起き、衣服をすばやくつけた。そのあと、ふとんをたたまずにぽんぽん押入れへほうりこんでゆき、廊下へ出た。いつもこうだ。

廊下でさな子が、まだすわっている。

「どうしたんです」

「坂本様を監視しているのです」

と、竜馬の顔を指《さ》した。竜馬は、朝起きても、顔を洗ったり髪をくしけずったりしないので、それをさな子は、やかましくいう。

(まったく、うるさい娘だ)

竜馬は急にしょんぼりして井戸端へ出かけた。そこで顔をくしゃくしゃと洗い、指でびんをかきあげて、重太郎の部屋を訪ねた。

「やあ、竜さん、出かけよう」

この兄妹にはかなわない。重太郎は、ゆうべあれほど飲んだのに、もう外出の支度をして、ちゃんと待っている。

「勝を殺しにかい？」

「そうだ」

「なにも人を殺しにゆくのに、そうせかせかとするもんじゃないよ。さな子さんなんざ、顔を洗うことまで、うるさくいう」

「坂本様」

さな子は、後ろにいる。

（ほい、そこにいたか）

竜馬は、頭をかいた。

二人肩をならべて玄関へ出た。

竜馬は、なんだかどうも腰のあたりがたよりない。

「坂本様」

また、さな子が背後で呼んだ。

「お腰のものは？」

ああ、と気づいた。刀をわすれていた。重太郎もさすがに顔をしかめて、

「竜さん、しっかり頼むよ」

といった。

もっともだ、と竜馬もおもった。刀を忘れてゆく刺客《せっかく》などはないだろう。

「あんたは、ちかごろぼけているね」

「脱藩ぼけか」

千葉家の門を出てゆく。

その背中を、さな子は見送りおわると、すぐ中へひっこみ、自分も大いそぎで支度をした。

女ながらも奸賊勝に、一刀あびせたい。二人がそれをとめるなら、せめて現場を見と

どけたい、とおもった。

行くさきは、築地の軍艦操練所である。安芸《あき》橋を渡ったところだから、見当はつく。

さな子は辻駕籠をひろった。


築地本願寺から橋を一つ、東へ渡ると、南小田原町である。

もう海のにおいがする。

さらに東へゆくと、かつて芸州藩の下屋敷のあったところ、ごく最近まで幕府の講武所がおかれていた一角があり、そのむこうは海である。

そこに、安政四年以来、幕府の軍艦操練所がおかれている。

「これが軍艦操練所か」

竜馬は、こどものような眼をして、その講武所時代からの練塀《ねりべい》をみあげた。

海と船がすきなのである。

「竜さん、この一角に入るには、西は本願寺橋、南は安芸橋、北は数馬橋《かずまばし》、備前橋などがあるが、勝は赤坂元氷川下の屋敷から来る関係上、安芸橋か、本願寺橋を渡る」

「ふむ」

「ところが安芸橋へ入る一帯は、一橋家《ひとつばしけ》や浅野家の屋敷があって、人通りがすくない。勝も刺客におびえている身だ。わざわざそんなさびしいところをえらぶまい。とすれば、付近に町家の多い本願寺橋を、つねに渡っている」

「よく知っている」

「いや想像だよ。竜さん、もっと性根を入れてくれなければこまるよ。だから、私は、日をえらんで本願寺橋で待伏せしようというのだ」

「それがよかろう」

が、竜馬は、岸壁に繋留《けいりゅう》してある軍艦の三本マストを、遠眼で目を細めてながめている。

練習艦の観光丸である。

オランダ製の木造スクーナー船で、外車輪をもった蒸気船である。二百五十トン。

竜馬は、あおい空を背景にした、その船体を指さした。

「重さん」

「なんだね」

「おれは、あんな船がほしいんだ」

「……………」

重太郎は、竜馬の顔をじっとみている。

「あんた、気はたしかかね。われわれは軍艦奉行並勝麟太郎を刺そうとしているんだぜ」

「そうだった」

「しっかりしておくれよ。北辰一刀流の腕が泣くぜ」

「しかし北辰一刀流ではあの軍艦は動かせないよ。動かせなきゃ、国が守れないし、幕府も倒せない」

「竜さん」

不快な顔をした。

重太郎は、ご多分にもれず、大の西洋ぎらいである。幕府が外国に媚《こ》びてあんな洋船を仕入れているということも許せないし、その西洋化の元兇が勝だと思っているのだ。

「竜さん、あんた、腰がくだけたか」

「わしの腰はいつでもくだけている」

竜馬は、重太郎の相手にならず、練塀にそって岸壁へゆっくり歩いた。

この軍艦操練所が、維新後、海軍兵学校に発展するのだが、それはどうでもいい。

竜馬は、軍艦を学びたい。

が、それをはばんでいるものがある。

幕府である。

家康以来の、極端な門閥主義であった。

（おれは、ここへ入所《はい》れぬのじゃ）

竜馬は、胸を締めつけられるおもいで、歩いた。

幕府の軍艦操練所は、幕臣の子弟にのみ門戸をひらいている。

ただし大名の家来でも「その主人が格別に見込んだ者」なればゆるされる。

が、竜馬は、土佐藩士であっても、郷士である。上士でなければ藩では推薦してくれないし、たとえ郷士でもいいとしても、脱藩の身である。

「重さん」

と、ふりかえった。

「勝なんぞを殺すよりも、人おのおのが志を遂げられる世の中にしたいものだなあ」

「ふむ？」

単純な攘夷論者である千葉重太郎にはわからない。

ぼんやり立っている。

二人の眼の前に、練習艦観光丸の黒い船体が、山のように盛りあがっている。

「重さん。おれは、故郷《くに》で河田小竜という物識《ものし》りの絵かきから聞いたのじゃが、アメリカでは、木こりの子でも大統領になれるし、大統領の子でも、本人が好きなら、仕立屋になっても、たれも怪しまぬというぞ」

「それがどうした」

重さんは不機嫌だ。

「どうもせぬ。士農工商のない世の中にしたい、とふと思うただけじゃ。武士、武士といっても、色わけが百とおりほどある。その色分けの中から出ることができぬ。それはなぜか。将軍一人の身分をまもるために、日本では、三千万人の人間の身分をしばっちょる」

「竜さん、声が大きい」

操練所構内を巡察している訓練生らしい数人が、むこうからやってきた。

「重さん、おれは、天子様のもとに万人が平等の世の中にしてみせるぞ」

「竜さん」

「なあに、おれにこの軍艦三艘《そう》もあたえてみろ、三百年、日本人を縛りあげてきた徳川家をぶっつぶしてやる」

「竜さん、なにをいう。将軍、大名あってこその日本だ」

「あっははは、おれにこの軍艦三艘をあたえれば、大名などはけしとんでしまうわい」

「竜さん、今日は帰ろう。あんたはどうかしている」

「そうかね」

二人が歩きはじめたとき、巡察中の訓練生の群れが、よびとめた。

「そこで、何をしておられる」

「見物じゃ」

竜馬と重太郎はいいすてて、歩いた。その足どり、腰のすわり、たれがみても一流の使い手だとわかる。

みな怖れ、それ以上、声をかけなかった。

安芸橋を渡りはじめると、むこうから辻駕籠が一挺やってきて、二人の前にとまった。

さな子であった。

すばやく降り立って、

「どうしました？」

眉をあげた。

可愛い唇をもっている。

その夜、重太郎が竜馬の部屋に入ってきて固い表情で、ふすまを閉めた。

「竜さん、やる気か、どうなんだ。あんたがやらねば、かならず」

「――かならず」

と、竜馬は、ひじ枕の上で、眉をひそめた。

「私一人でやる」

ああこいつはやるだろう、と竜馬はおもった。重太郎の表情はかつてないものだった。暗い眼、自分のことばに酔っているような、言葉を噴きだしていなければじっとしていられないような、一種奇妙な昂奮のなかに、重太郎はいる。

（吉田東洋をつけねらっていたころの那須信吾や大石団蔵、安岡嘉助らもこんな、鬱血《うっけつ》で血ぶくれしたような顔をしていた）

「はっきり、意中を訊こう」

と、重太郎はいった。

竜馬は、起きあがった。

「どうだ、重さん、やるからには、築地の橋で待伏せなんてのはやめよう。あれはどうも」

「どうも？」

「みじめすぎるなあ。もっとも刺客てのは、本当は、虫ケラのような人間のやることだとおれは思うけれど」

「竜さん」

「いや、待った。やるよ、おらァ。やるといったら坂本竜馬、きっとやる」

「それで安堵した」

「だが、待伏せなどはせず、真昼間、堂々と勝の屋敷に案内を乞い、勝に会い、それでけしからんのなら、その場で一刀両断しよう。男というのはそうあるべきものだ」

「ちがいない」

重太郎も諒承した。

翌朝、うまいぐあいに寝待ノ藤兵衛があそびにきたので、

「赤坂元氷川下に勝麟太郎という人物がいるが、毎日の人の出入りをしらべておいてくれ」

と命じた。

「どういう御目的で」

「斬るのだ」

藤兵衛は、さすがに青くなって出て行った。

妙なもので、海舟勝麟太郎のことが毎日あたまのすみにあると、勝に関する話題がよく耳に入った。

重太郎もそうらしい。

「よきにつけ、悪しきにつけ、妙に評判の多い男だな」

と、竜馬がいうと、

「あいつは大山師だというよ」

重太郎の耳に入る話は、みなわるい。やはりこちらが好意をもっていないと、そんなまわりあわせになってくるのだろう。

いよいよ、好意をもたなくなった。

「あの男の蘭学というのもインチキなものだということだ。読み書きなど、たどたどしいものらしい。とにかく悪評が多いよ」

「ほう」

竜馬は、眼を細めておもしろがった。じつのところ、竜馬の耳に入る海舟の評判はいい。めっきり惚れはじめているのである。

「どんな悪評だ」

と竜馬はきいた。

当時の勝の悪評のひとつは、こうである。

杉亭二《こうじ》という若者が登場する。

長崎の学者杉敬輔の孫で、はやくから両親に死にわかれ、祖父の門人たちにそだてられた。

非常な秀才で、土地がら、オランダ語に長じ、とくに蘭書のうち、法律、経済に興味をもっていた。その知識は、当時としては奇蹟的存在といっていい。

が、無名の青年である。

名を成そうとおもって江戸に出てきたが、頼る者がない。本所の冬木町で二階借りをしてくらしていた。

あるとき、海舟の名をきいた。

嘉永三年の暮ごろで、海舟二十八歳。

勝の窮乏のころだ。

身辺には女児ふたりがうまれており、それに両親と四人の妹という大世帯で、四十二石という世禄では暮らしが容易ではなかった。

蘭学を学びはじめてから、まだ五、六年にしかならないが、この素養を生活の資にしようとした。

自宅で、私塾《しじゅく》をひらいた。

勝は独創的な才質の男で、それだけに語学には不向きにできている。刻苦勉励《こっくべんれい》してずいぶんと勉強はしたが、語学教師になるほどの技能はなかったであろう。

そこへ、杉青年が訪ねてきた。

「様子をみたが、その家は内からも外からも突張棒《つっぱりぼう》をしてあり、じつに貧乏くさかった」

と、杉は後年、語っている。勝の赤坂田町のころだ。

杉は、数日してもう一度きた。

「勝先生。じつは、人物もたしかでしかも蘭語のできる男がいます。助手としてお雇いになってはいかがでしょう」

と、杉がいうと、勝はかたわらの筆をとって紙にサラサラと書いた。筆談である。べつに耳も口も故障はないのだが、隣室の門人に聞かれるのがいやだったのだろう。

「その人物の姓名をききたし」

とある。

杉はすぐ筆をとって、

「じつは私である」

「足下ならば、今日より来てくれぬか」

と勝は書き、報酬は塾の収入の二割を杉に与えることにした。

杉は、塾頭になった。しかし事実上の先生で、蘭語は勝よりもできた。

この杉亨二は、のちに勝が世に出たとき、勝の推薦で幕府の開成所教授となり、とくに統計学を研究し、幕末に人口調査をやるよう建議したりした。明治政府にも国勢調査をやるよう建議し、山梨県で実施している。わが国統計学の祖といっていい。法学博士。大正六年、九十歳で死歿。

「そういう商売人さ、勝は。――」

と重太郎は、いった。

「ほう」

かえって竜馬は、感心した。

(勝とは、えらいやつじゃな)

蘭語ができるだけなら、ただの語学教師である。語学教師を歩合でやとって勝家がめしを食うなどは、ただの旗本の才覚ではない。

それに、勝は、杉という傭《やと》い塾頭に蘭書を翻訳させては自分の海外知識を肥やしたであろう。知識を肥やすだけでなくて、それほどの才覚なら、それをもって国家をどうするということにむすびつけたにちがいない。

「もう一つの悪評は」

と、重太郎がいった。

「やつは軍艦奉行並で、日本海軍の創始者であるといばっていながら、なんの、ほらばかりだというのだ。勝といっしょに長崎の海軍伝習所で蘭人から教わった連中も、――

「勝は陸上では大気焰をはいているが、船にあれだけ弱い男はいない、といっている」

事実である。

勝は、軍艦屋のくせに、船にのれば港を出る前に船酔いで使いものにならなくなってしまう。

咸臨丸のときも、勝自身は、

「途中、大小数度のしけにあい、船体がねじれそうになったことも何度かあったが、そんなことは海員のかねて覚悟のところだから、そのわりにはくるしいとはおもわなかった。それにおれは血気ざかりの三十いくつであったから、なおさら無頓着《むとんちゃく》だった。もっとも乗船前からの熱病のために何度も吐血した。それもサンフランシスコ港につくころには、悉皆《しっかい》なおったさ」

これは、事実とはちがうらしい。

同乗していた福沢諭吉も、

――勝という人は、しごく船によわいひとで、航海中は病人同様、自分の部屋の外に出ることはできなかった。

と、その「自伝」にかいている。勝は、航海中、一歩も艦長室から出たことのない艦長であった。

幕府の軍艦奉行木村摂津守の談話にも、

――勝は大閉口でキャビンの中に寝たきり船暈《ふなよい》を起こしたので、大将なくして船をやる騒ぎであった。（中略）みなへとへとになって役に立たぬなかに、ひとり福沢のみ平然として船に酔わず、私の介抱をして飲食衣服の世話をなし、細心にはたらいていたのには感心した。

のちに海軍中将となり、大正九年八十歳で死んだ赤松大三郎則良《のりよし》も、「教授方手伝」という士官の身分で乗っていた。赤松は七十俵五人扶持の下級旗本の子である。この赤松ののちの談話に、

――日本の水夫（塩飽列島の漁夫）は中途で弱ってしまって、ついには、行くのはいやだ、日本に帰りたい、といいだした。そのときには、便乗していた米国海軍大尉ブルーク以下の水兵がたいへん役に立った。

「だから勝は、陸《おか》海軍だそうだよ」

と、重太郎は聞いてきたうわさどおりに罵倒したが、竜馬はそうはおもわなかった。

（だからこそ勝はえらいんじゃ）

一介の船乗りでない証拠に、船に弱いくせ陸では大気焔を吐いている。そういう勝海舟という男に、竜馬は興味をもった。

おりよく寝待ノ藤兵衛がやってきて、

「勝様は今朝ほどからご在宅でございます。あのご様子では終日、外出なさいますま

い」

といった。

「そいつはいい」

重太郎はもう立ちあがっている。

「竜さん、敵の本陣に乗りこんで、ばっさりやるんだ。支度、支度」

と部屋をとびだしてしまった。

「あの若先生がねえ……」

藤兵衛は、感無量といった顔である。

「時勢とはおそろしいもんでございますね。あんな人のいい若先生までが、天誅々々のさわぎに浮かれていらっしゃる」

大老の井伊直弼が殺《や》られたのは一昨年だったが、ことしの正月には、老中安藤対馬守信正が、坂下門外で攘夷浪士に斬りこまれて負傷している。

江戸はその程度だが、京では毎日のように佐幕派、開国主義者が暗殺された。

「旦那、おわらいなさるかもしれねえが、あっしのように独りぼっちで世間の裏街道を歩いてきた者にとっちゃ、ひとが騒ぐから騒ぐ、てのはどうも肌あいにあいませんよ」

「いっぱしのことをいう」

「しかし、人を斬ったからといって御政道がよくなるんですかねえ」

「そういう場合もある」

万延元年三月、桜田門外で井伊大老が水戸と薩摩浪士に殺された事件がそうである。井伊家といえば徳川譜代大名の旗頭で、しかも直弼は、大老であった。さらにあの朝の直弼は登城の途中で、武勇をもって鳴った家臣団にまもられている。そこへ小人数の浪士が斬りこんで斃した。

幕府の権威は、この朝からうすれた、といっていいだろう。ただの殺人ではなく、歴史をうごかした稀有な殺人といえる。

(しかし)

と、竜馬はおもうのだ。

(その後に頻発した天誅などはこどもだましだ。人さえ殺せば世の中がよくなると信じている狂人どもの所業である)

うっすら竜馬の耳へ伝わってくるうわさでは、京の天誅さわぎの黒幕は、どうやら武市半平太であるらしいという。

例の岡田以蔵。

これが「人斬り」というあだなをつけられて斬りまくっているという話である。

(せっかく世直しの思想としてあらわれた尊王攘夷も、人を殺すことだけでおわるようではあぶないもンじゃ)

おれが出ねば天下はどうにもならンか、と竜馬はふと誇大な夢想をもつのだが、かといって、竜馬にはまだ出る幕がなさそうであった。ついに生涯、竜馬の出る幕はないかもしれない。

（そのときは、そのまま死ぬまでよ。命《めい》は天にある）

「竜さん、支度はできたか。いそごう」

「ああ」

竜馬は、陸奥守吉行の大刀をとりあげて、帯におとしこんだ。この一刀が勝の血を吸うかどうか、竜馬自身にもわからない。

竜馬、重太郎のふたりは、たんねんに刀の目釘をしらべてから、赤坂元氷川下の勝の屋敷をめざして出かけた。

重太郎は、意気揚々としている。

寝待ノ藤兵衛が、中間《ちゅうげん》の風体でつき従った。

軍艦奉行並勝麟太郎の屋敷は、例のツッカイ棒で倒潰《とうかい》をふせいでいた赤坂田町のぼろ家ではない。この元氷川下の屋敷に移ってからすでに三年になる。建物は古ぼけているが、敷地は千石なみの旗本屋敷らしく、ずんとひろい。

勝は、この氷川の屋敷がひどく気に入っていた。明治三十二年、七十七歳で亡くなるまでここを住いとし、その死を悼《いた》む勅使が入ったのも、この屋敷である。

この屋敷については、余談がある。

昭和十一年、二・二六事件の犠牲となって兇弾に斃れた時の蔵相高橋是清（歿年八十三）がまだ書生々々していた二十歳のむかし。

明治六年暮のことだ。

この当時、勝は従四位ノ参議、海軍卿を兼ねて、なかなか声望があった。声望といっても、政治家としてのそれでなく、いわば明治政府の大久保彦左衛門、といったそういう人気であった。

非常な喧《やかま》し屋《や》で、毎日ひとが来れば、江戸っ子の巻き舌で古今の人物を論じ、政府の高官をこきおろし、ほめかた、くさしかたが極端で、講釈をきいているよりもおもしろい。

当時、本郷の加賀屋敷内に住んでいた政府お傭い外国人のモーレー博士が、

「ぜひ、勝さんにあいさつしたい」

というので、高橋是清が通訳として案内した。高橋青年も、勝にははじめてである。はじめ、綿服をきたきれいな女中が出てきた。女中にしては気品がありすぎると感心していたが、あとでひとにきくと、勝家の三女逸子であった。

逸子は、竜馬らが訪ねたときはまだふたつの幼女で、後年、高橋が訪ねたときは、十三歳。ほどなく目賀《めが》田《た》種太郎（江戸生れ、専修大学の創始者、のち男爵）に嫁《か》した。

高橋らは、この娘のうつくしさにまず度肝《どぎも》をぬかれた。あとでひとにきくと、

「あれは勝さんの手だよ。刺客やうるさい論客がくると、あの娘で荒肝《あらぎも》をぬくのだ」

ということであった。

つぎに、案内の老人が出てきた。粗末な小倉の袴をはき、寒中なのに素足である。

「どうぞ、お靴のままでこちらへ」

と、土足のままで座敷にあげ、客間に招じ入れた。客間は畳の上にイス、テーブルを置いてある。

高橋と外人がすわると、この老人が、

「私が勝です」

と、ふたたび客の度肝をぬいた。

ほどなく、相当年配のお婆さんが、白襟《しろえり》紋付、千代田城のお局《つぼね》のような豪華な裲襠《うちかけ》のすそをひきながら、あらわれ出てきた。

「これが私の妻です」

あいさつがすむと、裲襠の老女はしずしずとひっこむ。

その気味のわるさ。

応対まったく人を食った男で、――勝は煮ても焼いても食えぬ、という評判が、竜馬の当時にすでにあった。

「ここだ」

と、千葉重太郎は、勝家の門を仰いだ。閉ざされている。

門番の老人が、顔を出した。

「勝先生にお会いしたい」

と、重太郎は、自分と竜馬の名をかいた手札を出した。門番は、うろん臭げにひっこんだ。竜馬は門前で待つあいだ、重太郎の緊張した顔をみて噴きだした。

「剣呑《けんのん》な顔をしとるなあ。そのつらじゃ、門番は用人に取り次ぐまいよ」

「いや」

と、寝待ノ藤兵衛は低声でいった。

「当御屋敷には用人はいらっしゃいませぬ」

「千俵高の旗本でか」

「まったく不用心なお屋敷で。御家族と女中のほかは、あの爺《じじい》だけでございます。犬一ぴき、お飼いになっていらっしゃいませぬ」

「藤兵衛などがみれば垂涎《すいぜん》ものの家だな」

「いいえ、それが盗ろうにも、ろくな家財がございませんので」

「泥棒にも見はなされたか」

竜馬は、感心した。想像したとおり、物欲のうすい男らしい。

やがて門番が出てきた。

「お入りなさい」

と、意外にすらすらと事が運んだ。

竜馬は、拍子ぬけしたと同時に、感心もした。千葉門の剣客がふたり訪ねてきた、とあればどういうこんたんできたかは、時節がら、勝にも想像がつくはずではないか。

「重さん、あんた用心しなきゃいけませんよ。門内には百人もの人数が鯉口を切って伏せているかもしれない」

「なあに」

重太郎は右肩をいからせて入った。

（すっかり重さんも志士になった）

竜馬は、のっそり入った。

玄関わきに、八ツ手が盛りあがっている。風情《ふぜい》といえばそれだけのもので、庭木などはほとんどない。

（殺風景な家だな）

ふたりは、腰元に案内されて廊下を歩いた。歩くたびに床がしなうような古屋敷で、これにはこまった。それに、気がついてみると、当家のあるじは、二人の訪客の用件さえきいていないのである。

（さすが、咸臨丸でアメリカへ渡ったほどの男だ。幕府にもまだまだ凄い男がいる）

「こちらでございます」

腰元がすわって、ふすまを開《あ》けた。

せまい八畳ほどの日当りのわるい間で、和漢洋の書籍がぎっしり積みあげられ、なげ

しに、

「海舟書屋」

という、妹婿の佐久間象山の筆になる扁額《へんがく》がかかっている。

穴蔵のような部屋である。

その部屋のすみで、小柄な男が一人、背中をむけて書見していた。

ふりむこうともしない。


やがて勝は、くるりとこちらに向きをかえた。

竜馬と重太郎は、型どおりのあいさつをして顔をあげた。

(変わった貌《かお》じゃな)

竜馬は、まずそのことに感心した。

顔の彫りが深く、どちらかといえば横浜の西洋人に似ている。ただ小柄で、色が黒く、眼が異様であった。大人の眼ではなく、こどもの眼である。好奇心にみちた腕白小僧のようにきらきら光っている。

つぎに、勝は口をひらいた。

勝はこの当時、二《に》ノ丸《まる》留守居格で軍艦頭取、布衣《ほい》、といった幕府の顕官である。その大身《たいしん》の男が、

「何だい、お前さんら」

と、下世話《げせわ》な言葉をつかった。

「は？」

と、重太郎がききかえすと、

「なぜ刀をそっちへやってるんだ。もっと膝もとに引きつけておかないと、勝麟太郎は斬れないよ」

「……………」

「斬りに来たんだろう。はっははは、お前さんらの面《つら》に書いてある。おれもすこしは剣術をやったんだが、お前さんらの眉間をみるとちゃんと殺気が出ている」

「へーえ」

竜馬はおどろいて顔をなでた。

「なでたって消えやしないよ。とにかくお前さんらは剣術使いだろう。刀が命より大事という連中だから、そいつはちゃんと膝もとに引きつけときなよ。……しかし」

と勝は名札《なふだ》をもう一度みて、

「あんたは千葉重太郎さん。ははあ、貞吉先生のご子息だな」

つぎは、竜馬の顔をみた。

(こいつ、ものになるな)

と、勝はおもったという。後年、この口うるさい勝は、西郷と竜馬をとくに指《さ》して、「英雄」という称をつかったが、この初対面のときにすでにそういう直覚をもった。竜馬を「英雄」とみてくれた最初の男は、勝海舟だろう。

勝は、あぐらをかいた。

この男のくせで、あぐらをかくばあい、両腕を前に垂れて両足くびをつかむ。足を腕で吊るようなかっこうをするのである。

四十になるのに、それがいかにも腕白小僧のようなかっこうで、竜馬はおかしかった。

「とにかく近頃は刺客ばやりでなあ。おれンとこなんざ、毎日何人となくやってくるよ」

何人となく、というのは勝流の法螺だが、ずいぶんと来るらしい。勝は在宅しているかぎり、その連中に会ってやる。

「しかし妙なもんだ。刺客のようなやつらでも、あれはあれなりの頭で国を憂えている。頭がわるくて、料簡がまちがっているだけのことさ。赤心《まごころ》にゃ変りはねえ。だから話してやると、帰りはニコニコして出てゆくね。それにしてもお前さんらは、連中よりはすこしは上等だよ。話を聞いてから殺すなり生かすなりしてやろうというんだから。坂本君、そうだろう」

竜馬は、畳の破れ目をむしっている。

「勝先生」

重太郎は、殺気だっている。

「先生は日ごろ、幕閣にあって開国論をとなえ、洋夷どもと大いにつきあえ、とおっしゃっているとききます」

「ああ」

勝はきせるにたばこを詰めた。

「そう言ってるよ」

「おそれ多くも当今《とうぎん》（天子）は、洋夷が上陸することさえ、神州のけがれであると忌《い》まれております。このこと、どうお考えでございますか」

「千葉君、きみはそのことを、まさか天朝様のお口からじきじきにお聴き申したわけではあるまい。また聞きのうわさを信じ、かつ不逞にもお心を推しはかって、わが言葉に焼きなおしているのだ」

「しかし」

言葉につまったが、感情はそれだけに昂《たかぶ》りはじめている。

「わが大八洲《おおやしま》は神々の住み給う結界にして、穢人《おじん》どもの一歩でも踏み入れるべき国ではありません」

重太郎は、流行の水戸的な攘夷思想にかぶれている。それがおなじく流行の国学者の攘夷思想と入りまじって、きわめて宗教臭のつよいものだ。

この神国思想は、明治になってからもなお脈々と生きつづけて熊本で神風連《じんぷうれん》の騒ぎをおこし、国定国史教科書の史観となり、昭和右翼や、陸軍正規将校の精神的支柱となり、おびただしい盲信者を生んだ。

たしかにこの宗教的攘夷論は幕末を動かしたエネルギーではあったが、しかし、ここに奇妙なことがある。

攘夷論者のなかには、そういう宗教色をもたない一群があった。長州の桂小五郎、薩摩の大久保一蔵（利通）、西郷吉之助、そして坂本竜馬である。

宗教的攘夷論者は、桜田門外で井伊大老を殺すなど、維新のエネルギーにはなったが、維新政権はついにかれらの手ににぎることはできなかった。

しかしその狂信的な流れは昭和になって、昭和維新を信ずる妄想グループにひきつがれ、ついに大東亜戦争をひきおこして、国を惨澹《さんたん》たる荒廃におとし入れた。

余談から余談につづくが、大東亜戦争は世界史最大の怪事件であろう。常識で考えても敗北とわかっているこの戦さを、なぜ陸軍軍閥はおこしたか。それは、未開、盲信、土臭のつよいこの宗教的攘夷思想が、維新の指導的志士にはねのけられたため、昭和になって無智な軍人の頭脳のなかで息をふきかえし、それがおどろくべきことに「革命思想」の皮をかぶって軍部をうごかし、ついに数百万の国民を死に追いやった。

昭和の政治史は、幕末史よりもはるかに愚劣で、蒙昧《もうまい》であったといえる。

重太郎は、論じた。

神国論を論じ、開国のゆるすべからざることを説いた。

勝は、たばこに火をつけた。

「ぷーっ」

と、庭さきへ煙を吐いた。

「お前さんら、眼があるだろう」

と勝はたばこ盆をひきよせた。きせるをぴしっとたたいて吸いがらをおとし、

「あれをごらんよ」

背後の地球儀を指さした。

「あの青いところが海だ。世界々々というがまったくちっぽけなもので、そのほとんどが漫々たる海さ。この海から金銀がどんどん湧いて出てくる」

(こいつ、やっぱり山師だ)

重太郎は、眉をひそめた。

「うそだとおもうなら英国をごらん。世界一の大国だといわれていながら、あんなちっぽけな島だ。あいつらは利口だよ」

「……」

「あいつらは、あの真青に塗った地球上の海を家としていやがるんだよ。なぜかといえば海上を陸地同然に走りまわれる大火船《だいかせん》を何千艘《そう》と持っていて、どんどん外国と商売をして国の利益をあげている。そのおかげで大英帝国という、人間の歴史はじまって以来の繁栄をしめした。すると日本はどうかね」

勝は、たばこに火をつけた。

「赤蝦夷《あかえぞ》（ロシア）てのはヨーロッパでは野蛮国だというが、それでも軍艦をもっている。この国が極東侵略を考えはじめたのはほんの先年で、しきりと日本の周辺に軍艦を出没させはじめた。そこで、千島、カラフトはおれのものだという。泥棒のようなものさ。竹内下野守《しもつけのかみ》なんぞが露都まで出かけて行ったがなかなかうまくゆかない。どんどん外交で負けて行っている。これはむこうに軍艦があるからだよ。いまのように、攘夷々々と刀をふりまわしているだけじゃ、日本はあの連中の好きなようにされてしまうよ」

「しかし」

「まあ、お聞き」

勝は、日本の地図をひろげた。竜馬もはじめて見る精巧なもので、眼をかがやかせてのぞきこんだ。

「坂本君」

と、勝は、親しげによんだ。

「おれが大日本国百年の大計のために考えた繁栄策はこうだ。いまからしゃべるから、君に異見があればいいたまえ」

勝は、この意見を、この年の五月にすでに幕閣に呈している。

日本列島の防衛のために、海区を、東海、東北海、北海、西北海、西海、西南海の六つに分け、六艦隊をうかべる。

この案は精密なもので、たとえば、江戸大坂防衛艦隊を第一艦隊とし、フレガット型軍艦三隻（乗員千四百人）、コルベット型軍艦九隻（乗員二千五十二人）、小型軍艦三十隻、それに運送船一隻。

この六艦隊の総計は、なんと二百七十隻にのぼり、乗組員は六万一千二百五人である。このほか、運送船、測量艦、海防艦だけで七十五隻。

「幕府の大官どもはおったまげたよ。とても金がないというお沙汰がくだった。だからおれは、いま君らにいったろう。金は海から吸いあげろ、開国してどんどん貿易し、その金でこの艦隊をつくればいい、というんだ」

竜馬も、重太郎も、けむりに巻かれてしまった。しかし重太郎の身構え、いよいよ剣呑である。

（いやもうびっくりさせやがるなあ）

と竜馬はこの男がいよいよ好きになってきた。

日本などは、稲と麦と大根ばかりが生えている百姓国で、近代産業などなにもないのだが、そこにいきなり蒸気軍艦二百七十隻という世界有数の大艦隊をうかべようという。

（法螺とすれば、勝は神代以来の大法螺吹きじゃろ）

勝にはなるほどそんなところがあるのだが、しかしただの法螺ではなく、一隻々々の乗組員の数を端数まで計算し、しかもその艦隊をつくりだす経費をどこから出すか、まで考えている。

その金を生む法が、すなわちここにいる千葉重太郎ら攘夷志士群の大きらいな、

「開国」

なのだ。航海貿易論というものである。

それだけではない。

勝は、軍艦からして買うことをやめて、日本で建造しようというのだ。そのためには、製鉄所、工作機械なども造らねばならない。それよりもまず、技術者をつくらねばならない。

それをやろうというのが、勝の日本興国論である。

これには、幕閣もおどろいてしまった。

「勝は法螺ふきだ」

ということで、却下されてしまった。これがもし採用されれば、あるいは徳川の政府はあと百年つづいたかもしれない。もっとも、歴史はそう簡単にはいかないが。

「唐人の夢だ」

といわれた。

幕閣がこう思うのはむりもないことで、徳川政府というのは、米を国税として取りあげることによって出来あがっている。百姓に食料品を作らせ、それを武士に配って食わ

せるだけで三百年すごしてきた素朴単純な農業政府である。

近代国家というのはばくだいな金の要るもので、そんな国家に仲間入りできるような資格は、幕府も大名も、ないのである。

国内的にも、もう徳川中期から、商人という資本で事をやる連中が大きくなってきて、百姓だけに根をおいている幕府、大名は、ひどく金にこまってきている。

大坂の巨商鴻池《こうのいけ》は、天下の諸侯に金を貸しつけて、大名の頭があがらぬようにしてしまっている。大名行列が大坂を通過するとき、殿様がわざわざ一町人の鴻池にあいさつに行ったというはなしがあるほどである。

そういう時勢に、幕府、大名は、米何石という米中心の経済をやっているのだから、貧窮するのは、当然であった。

とても、勝の案などを実行できるような力は、幕府にはなかったのである。

「しかし、やらねば日本は亡国だよ」

と、勝はやたらときせるを吐月峯《はいふき》にたたきつけた。

「されば幕府は倒さにゃいけませんな」

と、竜馬は咆《ほ》えた。勝はあ然とした。

「おいおい、おれは幕臣だぜ」

そのくせ勝は笑っている。竜馬の、幕末凡百の志士とはまったく毛色のかわった倒幕論はこの日に確立した、といっていいだろう。

なるほど勝は、幕臣である。すでに屋台骨にひびの入っている幕府の建てなおしを考えて、右の壮大な近代国家の案を立案したのだが、

「しかしだめだね」

と勝はいった。

「わかるやつはいないのさ。たとえ居ても、そんなやつは下級のうまれで、それを実行できる大老や老中になれやしねえ。政治はみな門閥でやっている。これは諸大名もおなじだ。幕府の高官も諸侯の家老も、頭のぐあいは半人足で、そのへんの火消人足のほうがもっとましだよ。この半人足どもが、この内憂外患の時代に日本を動かしている、となれば坂本君、どうだ」

そういう幕府、大名を倒せ、といわんばかりである。

が、勝は、見かけとは逆に、ひどく徳川家に対して至純な、いわば惚れぬいている女に対するような気持をもっている。心情はまったく別なのだが、惚れぬいたせいで、ついそんな語調になる。

しかし、歴史には妙機がある。

勝の幕府を想うあまりの改造論が、それを聴き惚れている竜馬の頭で、べつなものになってしまった。

（それならば、それを実行できぬ幕府をぶっ倒して、京都を中心とする政府をつくり、それで日本を統一し、人材があればたれでも大老、老中にさせるような国家をつくればよいではないか）

こいつはおもしろい、と竜馬はうきうきしてきた。

まったく平明すぎるほどの実利的倒幕論というべきもので、こんな発想をもった倒幕主義者は、ついに幕末、竜馬以外には、まず出現しなかったであろう。

多くは、武市半平太のように勤王一すじの復古的倒幕論者であり、桂小五郎、西郷隆盛など、ものわかりのいい連中さえ、この傾向がつよかった。とくにこの三人は、長州、薩摩、土佐といった強藩を背景とし、自藩の利益や立場を考えすぎた。

そこへゆくと竜馬は、脱藩の身だから、平明磊々《らいらい》としている。

（倒さにゃいかんな）

幕臣勝麟太郎が説けば説くほど、竜馬はそのことばかりを考えていた。

勝は、しきりと外国のはなしをした。

ところが、竜馬とはまったくちがう受けとりかたをしているのが、竜馬の横にいる尊王攘夷主義者の千葉重太郎である。

（やっぱり夷臭の男だ。こいつを一刀両断せねば日本はどうなるか）

「勝先生っ」

重太郎は膝をにじらせた。その殺気、脇差で抜き打とうとしている。

瞬間、それを察し、竜馬は勝にむかい、大きな体を折って平伏した。

「勝先生、わしを弟子にして仕《つか》ァされ」

機先を制せられて、あっと重太郎がひるんだ。いや勝自身が、ぽかんと口をあけきったままである。勝は、竜馬が奇略で自分を救ってくれた、と事情がわかるまでにだいぶ時間がかかった。

「竜さん、ひどいよ」

と、これは千葉道場の重太郎の部屋。

さな子もいた。

庭いっぱいに、晩秋の陽がさしている。

「………」

「あんたァ、私があの奸賊を斬ろうとしていると、いきなり出鼻をくじいて、弟子入りをしてしまったじゃないか」

「まあ、堪忍してくれや」

竜馬はぺこっと頭をさげ、顔をあげるといきなり、

「しかし勝麟太郎というのは、日本史上最大の大豪傑だぜ」

と、ぬけぬけといった。

「重さん、良薬ほど毒性があるよ。英雄というのは国家の無病息災なときには無用の毒

物だが、天下危難のときにはなくてはならぬ妙薬だ。人間の毒性ばかりをこせこせと見るのは小人《しょうじん》のすることで、大人《たいじん》はすべからく相手の効能の面を見ぬかねばならん」

「そういえば竜さんも毒物だな」

「毒物と毒物の対面だったよ」

「いやンなるねえ」

重太郎はもう、刺客の剣呑さは脱《と》れて、市井《しせい》の人のいい若旦那になっている。

「まったくいやンなるよ、竜さんの変節ぶりには。だいたい私は、築地の軍艦操練所を見に行ったときから様子がおかしいとおもっていたんだ。勝の屋敷へ私にくっついて行ったのは、私をとめようという策だったんだね」

「いや、場合によっては斬ろうとおもっていたんだ、しかし」

「うそうそ。だけどもういいんだ。私は竜さんが好きだからもうこのことは忘れるよ、そのかわり竜さん、おねがいがあるんだ」

重太郎は、かたちをあらためた。

「私を弟子にしてくれないか」

「弟子？」

竜馬は笑いだした。

「あんたはこの千葉家の世継ぎだ。そっちこそ師匠筋ではないか」

「それは剣術の上でのことだ。人間として、また国事に奔走する上において、あんたの弟子にしてほしいんだ。どうだろう」

竜馬はあわててその会話を打ちきり、さな子に話しかけた。

「さな子さん、いつ嫁入りするんです」

「えっ」

さな子は、突然のことでさすがにどきまぎしたが、すぐしんと静まった。

「わたくしは嫁入りなんぞはいたしませぬ」

「ははあ、あんたも女の毒物か」

「えっ」

と気色《けしき》ばんだが、竜馬はにこにこして、

「女だてらに剣という才能がある上に、とほうもない利口者だ。毒にも薬にもならぬ女にうまれついておられれば平穏無事にくらせるんだが、そうはいきませんかなあ」

兄の重太郎は毒にも薬にもならぬ、だからなまじっかの志士気どりはやめて人の好い市井人として送れ、と暗に重太郎へいいたかったのである。

伯楽

翌朝、千葉道場の玄関で、おどろくべきことがおこった。

黒羽二重の紋服、仙台平のはかま、といった装束の小柄な中年の武家がひょこっと入ってきて、

「剣術使いの坂本さんはいるかね」

といった。態度、不遜である。

と、取次ぎに出た門人はおもいつつ、

「あなた様は？」

「おれは勝だよ」

根竹のムチで、ぱんぱんと自分の首筋をたたきながらいった。肩でも凝っているらしい。

「どこの勝さんです」

だいたい、天下の千葉道場に対する訪問の仕方ではあるまい。

「氷川町の勝だよ」

「は？」

「軍艦奉行並」

あっ、門人は青くなってひっこんでしまった。幕府の高官ではないか。

奥へ駈けこみながら冷汗をかきつつ、門人は、もう別の意味で腹が立っている。大身の幕臣ともあろう者が、町道場などに、前ぶれもなく訪ねてくることのほうがまちがっているだろう。取次ぎとして、しくじるのがあたりまえではないか。

（しかも、供も連れてやがらねえ。あれは本当の勝様かえ？）

それだけではない。

幕府の軍艦奉行並ともあろう身分の者が、一介の素浪人にすぎぬ坂本竜馬をむこうから訪ねてくるとはどういうことであろう。

（坂本先生というのは、それほどえらい人なのかねえ。朝寝だけは名人だが）

門人は、竜馬の部屋の前の廊下にすわり、

「坂本先生、お目ざめでございましょうか」

といった。部屋のなかから寝ぼけた声がもどってきた。

「ああ、めしが出来たんだな」

「いや、めしではございません。いま玄関に軍艦奉行並勝様が、来ていらっしゃいます」

「お通し申すがよい」

驚きもせずのんびりといった。むろん、内心竜馬もおどろいている。勝の身分は、将軍の直々《じきじき》であるという点では土佐の殿様と同格なのだ。なんという気さくな男だろう。(きのう、殺されなんだ礼にきたのかな。もっともそれなら行きとどきすぎたことだ)

そのころ、玄関では勝の「殿様」が、まるで火消人足のような言葉で叱りつけていた。

「入れ、といったってお前さん、どうせ汚《きたね》え部屋だろう。袴がよごれるよ。それよりも門前に馬二頭を用意してあるから、外へ出て来い、といいなさい」

竜馬が出てきた。

「ああ坂本君。お前さんは妙に気にかかる男で、昨夜《ゆうべ》お前さんのことが頭についてどうも寝つきがわるかった。早速いい所につれて行ってやるから、あの馬に乗りなさい」

なるほど、門前に馬が二頭。

一頭は、馬丁《くちとり》がひいている。勝はその栗毛にまたがってから、

「竜馬よ」

と、そんな呼びかたをした。

「馬に乗れるかね」

竜馬は、馬術は特定の師匠に習ったのではなく、乙女姉さんから教わった、乙女の馬術というのは高知城下でも有名で、さまざまな逸話があるが、煩瑣《はんさ》になるから述べない。ひらりと鞍上《あんじょう》のひとになると、土佐独特の大坪流の手綱さばきでしずしずとうたせはじめた。

「竜馬、やるな」

勝が感心したのもむりはない。この時代の旗本というのは、馬にも騎《の》れぬ者が多かったのである。

「さすが、戦国以来、一領具足の名で天下にひびいた土佐郷士だ」

「いや、姉に教わったのですよ」

「姉？」

勝は、その姉にまで会ってみたいとおもうほどに、この竜馬に興味をもっている。

「竜馬、駈けるか」

「どこまで？」

「築地南小田原町の軍艦操練所だ」

あ、そこへ連れて行ってくれるのか、と竜馬は馬上で眼を輝かせた。

二騎、疾風のごとく走った。

当時の江戸の市中は道路がせまいから、二頭ならべて走れるほどの幅はない。つい、竜馬は、

「ご無礼」

といいながら先頭になった。勝よりもはるかにうまいのである。

なるべく人通りのすくない武家地を選び、西へ東へと道を転じつつ、ついに築地の安芸橋を駈けわたって、操練所の構内に入った。

二人は馬からとびおり、厩舎《きゅうしゃ》につないでゆっくりと構内を横切りはじめた。

「広いだろう」

勝はときどき、子供のような自慢のしかたをする男である。

「おれは幕府の海軍の総元締だが、この操練所の親方は、永井玄蕃頭《げんばのかみ》だよ」

竜馬も、名はきいている。勝とならんで幕府高官のなかでも俊才といわれている人物である。

「おれとはちがって、おだやかな君子さ。そのくせ、やることはなかなかやる。西洋には日曜日《さんでぃ》というのがあって七日ごとに休むのだが、永井はそんなことをしていては日本は追っつけぬといってここでは休みなしだ」

授業は朝十時からはじまって午後三時におわる。寮制でなく通学制だから、終了時限がわりあい早いのである。

習得すべき学課、実習は、測量と算術、造船術、蒸気機関学、船員運用、帆前《ほまえ》調練、海上砲術、大小砲船打《ふなうち》調練、といったもので、先生を「教授方」といい、八人。

その下に「教授方手伝」という役目がやはり八人いる。

勝は、幕府のいわば非公開施設である操練所の施設を竜馬にみせたあげく、その教授室につれこんだ。

たまたま、教授方や教授方手伝という教官のほとんどが在室していた。部屋は、講武所時代の剣術家や槍術家たちがつかっていたもので、五十畳敷きほどもあろう。

そこに、教官たちがひとりずつ、和風の机にむかって書類を書いたり、洋書を読んだり、たばこを吸ったりしていた。

勝はそのひとりひとりに、

「これは土佐の坂本竜馬という男で、脱藩浪人だが、おもしろそうな男だから、わし同然のつきあいをしてやってくれ」

と紹介してまわった。

わし同然に、——という紹介のしかたは、当時の勝の身分から考えてもいかに破格な扱いであるか知れるというものであろう。

教授方たちは、

「ほう」

と眼をみはりながら、

「こちらこそ」

と、鄭重にあいさつした。一介の勝海舟という人物は、恩を着せて乾分《こぶん》にするというようなところがまったくなかった人物だが、人をひきたてることはうまかった。

最後に勝は、ひとりの人物のそばまで竜馬をつれて行った。

妙な風体をしている。

他の教官連中は、羽織、袴で容儀をただしているのに、この教授方だけは、頭髪を西洋人同様にみじかく剪《つ》んでうしろになであげ、詰め襟の夷服《いふく》を着用している。

色が黒く、眉がせまり、いかついあごが、いかにも強靭《きょうじん》そうな意志をあらわしていた。

「坂本君、この仁《じん》はどなただとおもう」

と、勝はいった。

「さあ」

竜馬は、男の顔をみた。

「お前さんと、同国のひとだよ。有名な中浜万次郎氏だ」

(あっ)

竜馬はおもいあたった。

当今、日本でもっとも数奇な経歴のもちぬしであった。うまれは、土佐国幡多《はた》郡清水村の漁村中ノ浜である。

漁夫であった。

十五歳のとき、五人の仲間と一緒に小さな漁船に乗って近海で出漁中、にわかに暴風にあい、はるかに八丈島付近まで流され、無人島に漂着して魚貝を食ってかろうじて命を保っていた。

漂流後六カ月目の天保十二年六月四日、おりから通りかかった米国捕鯨船ジョン・ハウランド号に救助され、ハワイに連れて行ってもらった。

その後、マサチュセッツ州のフェアヘヴンで小学校教育をうけ、その才幹を認められて米国漁船の事務員として働いた。

その後、米国各地や太平洋の諸島を転々としつつ、沖縄本島に帰り、薩摩藩吏にひきわたされたときは嘉永四年、漂流して十年のちであった。

はじめは密出国の容疑者としてあつかわれたが、翌々年ペリーがきてにわかに万次郎の英語と海外知識が必要になり、幕府に召されて破格にも旗本に列し、いまは軍艦操練所教授方になっている。

中浜万次郎は、十五歳で漂流して米国へ行ったために、いまだに日本語といえば、土佐の幡多郡の漁夫ことばしかつかえない。

それで、旗本なのである。

だからあまりものはいわず、ひどく気むずかしい顔をしていた。

ただ、米国に滞留中、しばしば米国人を驚かせたほどの頭のよさをもっていた。

ものをみるカンも、異常なほどにすぐれている。

そういう人物が、鎖国時代に、「漂流」という偶然の機会で北米大陸の文明を見、しかも、ペリー来航さわぎの寸前にもどってきたというのは、日本の幸運というべきだったろう。

土佐藩は最初士格に列せしめ、ついに幕府は幕臣にとりたてた。

この江戸封建社会では、奇蹟といっていい抜擢である。しかしそれだけに、万次郎に対する白眼もあって、万次郎は、その実力のほどには、さほどの活躍もなくておわった。

竜馬は、高知城下蓮池町《はすいけまち》の海外通の画家河田小竜の塾にかよっているころ、河田から中浜万次郎のことはよくきいていた。

ところが、意外にも万次郎が笑って、

「おンしが坂本君か」

と、知っていた。

河田小竜が、江戸の万次郎のもとへ竜馬のことを手紙で書き送っていたようであった。

なにしろ河田小竜は、万次郎が土佐に帰ってきたころ自分の屋敷に泊めて海外事情をくわしくきき、「漂巽紀略《ひようそんきりやく》」という書物をあらわした。

「土佐偉人伝」という書物の河田小竜の項には、この書物について、

「……珍書にして、かの海南の俊傑坂本竜馬が、他日航海の志を起し、日本海軍の首唱をなせしは、実にこの書物の感化にもとづくと称せらる」

と書かれているほどだ。

この珍書「漂巽紀略」の記事を提供したのが、いま眼の前にいる万次郎である。

「おンしのことは小竜の手紙で、うらアよく知っちょった。いつ訪ねてくるかと心待ちにしちょったが、いま来なされたか」

と、早口でいった。

早口の土佐弁だから、江戸っ子の勝にはわからない。

「竜馬、いまのは何の話だ」

「ああ」

竜馬は通訳した。

勝は笑って、

「竜馬、お前さんは食えぬやつだ。それほど以前から開国に興味があったくせに、攘夷志士としてわしを刺しにきたのか」

「うふっ」

竜馬も、自分がおかしくて笑った。攘夷も流行だからつきあいの一つだ、とこの性根のわからぬ男は考えているのだろう。

「とにかく中浜さん、この竜馬はそういうやつだ。うっかり軍艦を教えると海賊になるかもしれぬが、それはそれでおもしろい。せいぜい眼をかけてやってください」

と、勝は竜馬のために頭を下げてくれた。

この時期。――

竜馬の人生への基礎は確立した。勝に会ったことが、竜馬の、竜馬としての生涯の階段を、一段だけ、踏みあがらせた。

(人の一生には、命題があるべきものだ。おれはどうやらおれの命題のなかへ、一あしだけ踏み入れたらしい)

このとし、竜馬二十八歳。

まったく晩熟《おくて》である。すでに、のちのち竜馬とともに維新成立に活躍する長州の久坂玄瑞、高杉晋作、桂小五郎、薩摩の西郷吉之助、大久保一蔵などは、それぞれの藩の立場から「国事」に奔走しているのに、竜馬は、

「一歩」

のぼっただけである。しかも倒幕志士であるはずの竜馬が、幕臣の勝海舟に見出されたというえたいの知れぬ「一歩」を。

世の中の
　人は何とも云はばいへ
わがなすことは
　われのみぞ知る

とは、父親の八平にさえ「ついに廃《すた》れ者になるか」と嘆ぜしめた竜馬の十代のころにつくった歌である。城下で低能児よばわりされた竜馬のさびしさが、歌にこもっている。

（世上、ひとしく攘夷を叫び、勤王を喚《おら》ぶも、みな空論にすぎぬ。おれがその群れにこそ入りこんでおなじ踊りをおどり、おなじ唄をうたっても、なんの足しにもならぬ。いまは迂遠《うえん》の道を通るが、やがてみろ、日本をおれが一変させてみせてくれるぞ）

やっと、自分の、自分だけの人生がひらけてきたような気がする。

軍艦操練所の門前で勝と別れた夜、竜馬はこの男にしてはめずらしく寝つけなかった。昂奮している。

寝つけぬまま、寝床から這い出して、国許《くにもと》の乙女姉さんに手紙をかいた。

その手紙が、現在ものこっている。

文字は金釘流《かなくぎりゅう》だがふしぎな雅趣があり、維新志士の書のなかでは「最も風韻ゆたかな書風」といわれている。

文章もおもしろい。当時の書簡文の型にこだわらず、言いたいことを書いている。この点、古今、豊臣秀吉の手紙の文章とともに、書簡文の傑作とされている。

そもそも人間の一生はがてん（合点）の行かぬはもとよりのこと。うん（運）のわるい者は風呂より出でんとしてきんたまをつめわりて死ぬる者あり。

それにくらべて私などは運がつよく、なにほど死ぬる場へ出ても死なれず。自分で死なうと思ふても又生きねばならん事になり、今にては、日本第一の人物勝麟太郎と云ふ人の弟子になり、(中略)どうぞおんよろこび願ひ上げ候。かしく。

書きおわったとき、冷えきった廊下のあたりで、声がした。さな子である。

「夜分でございますけど、火急にお話ししたいことがございます。客間へ参っていただけませんでしょうか」

さな子は、客間で竜馬を待つあいだ、ふと中庭をみると、雨が降っている。

(あら、雨が。……)

庭のすみに、北辰《ほくしん》妙見宮の小祠がある。その燈籠に、灯があざやかであった。毎夜、灯を入れるのは、さな子のこどものころからの役目である。

北辰妙見宮は、千葉家代々の屋敷神で、周作が一刀流から出て、一流をあみだし、

「北辰」

と名づけたいわれも、ここにある。当時屋敷神というのは相当な家ならたいていあったもので、竜馬の坂本家のばあい、山ひとつを買って才谷山と名づけ、その山上に和霊明神を宇和島から勧請《かんじょう》して、まつっている。

(和霊さまは妙な神さまだ)

とさな子は想うのだ。

遠い土佐の坂本家の屋敷神のことを、さな子は、まえまえから知っている。竜馬が脱藩するとき、この才谷山にのぼって和霊様に祈った、というはなしも、竜馬が重太郎に話し、重太郎の口からさな子はきいていた。

(——和霊さまは)

とは、竜馬のこと。

(なぜあのように、猫の眼のように志をお変えになるのであろう。攘夷のために勝を斬るといって当家の門を出ながら、帰ってきたときには勝の弟子になってしまっている)

さな子は女ながらもはげしい攘夷主義者である。もし夷人を攘ちはらえという幕命が出れば、女ながらも男装して戦いに参加するつもりであった。げんに、ペリーがきた当時竜馬の土佐藩の陣地に兄の重太郎といっしょに出かけたものである。

(その和霊さまが、くるくるかわる。すっかり開国論者になってしまっていらっしゃる)

竜馬が入ってきた。

「御用ですか」

「お伺いしたいことがございます。坂本様はいったい……」

と、きりだした。

が、さな子は、女なのだ。

思想や主義よりも、なぜ竜馬というのがこうも変転するのかという、かれの人間のほうが気にかかる。

（何者だろう）

と、えたいが知れなくなってしまった。女として、こういう男に想いをかけても、ついにはむだなのではないか。

そんなことが、きりきりと胸にきりきりをまわされるような思いで、気になってきたのである。

「一体、坂本さまは何者なのでございましょう」

「坂本は坂本ですよ」

「攘夷論者なのですか、開国論者なのでございますか」

開鎖《かいさ》、という言葉がこの当時流行し、非常な問題であった。開国が可か、鎖国が可か、という議論である。本来、鎖国を国是《こくぜ》にしていた幕府が、外国の圧力に屈して半開国外交をとりはじめる半面、いわゆる志士たちの九割九分までは、鎖国攘夷主義であった。

この点、まことにややこしい。

さな子は、手きびしく竜馬の変節をなじった。

竜馬は、閉口してきいている。

（めっそう、むくるなや）

という気持だ。むくる、とは、まじめで一所懸命という意味らしい。どうも、さな子の正論すぎる議論には、竜馬は弱った。

「どうなされたのです。黙ってばかりいて」

「いやもう」

竜馬は頭をかかえた。

「チヤチヤクチャじゃ」

「……？」

さな子は不機嫌だ。

竜馬は、自分のぶがわるくなると、わけのわからぬ土佐弁をつかうようである。

「さな子殿は、大したリグリテでござる」

「なんです、それは。——」

理屈屋という意味だが、竜馬は解説せずににやにやしている。

「わしァ、チョウサイ坊（阿呆）じゃきに、そうわァわァ理屈ばァ、耳もとで蕘《わご》るようにいわれても、わかりません」

「ずるい」

その土佐弁が、だ。さな子は外国人と話しているようであった。

「坂本様は、いったい、佐幕人でありますか、それとも、尊王攘夷のために命をお捨てなされようとしているお方でありますか」

「へへ」

竜馬は、チョウサイ坊のようにわらっている。

「日本人です」

「にっぽん人？」

さな子は妙な顔をした。そんなものは実在しないのである。

すくなくとも幕末には、日本人は実在しなかった。

志士と名のつく者は、佐幕人か、神秘的勤王主義者か、あるいはこれとは別の分類でいえば、薩摩人、長州人、土佐人、幕臣、諸藩の士、公卿、といったように、それぞれが属している団体の立場や、主義に属し、それらを通してしか、ものを考えず、それによって行動した。薩摩の大久保一蔵、西郷隆盛、長州の高杉晋作、桂小五郎といった連中も、ついにはその所属藩の立場を超越できなかった。つまり、薩摩人、長州人であった。

幕末で、日本人は坂本竜馬だけだったといわれる。

当時としては、奇想天外な立場である（いや、現在でも奇想天外な立場かもしれない。たとえば昭和軍閥を動かした連中は、陸軍人ではあったが、日本人ではなかった。われわれ日本人は、陸軍人という人種によって国家や家庭を破られた）。

が、さな子に難詰されたころは、まだ竜馬は風雲のなかに出ていない。その「日本人」としてのいわば奇妙な行動は、この物語のさきざきのくだりになるであろう。

勝海舟。――

これは幕人である。しかしそういう立場をひきずりつつも、当時としてはもっとも日本人に近い意識のもちぬしであった。

竜馬は、だから海舟の存在に、不可思議な魅力を感じた。

どうも、その後の竜馬の挙動がおかしい。毎日、日暮前になると、そわそわと外出支度をして、

「さな子殿、ちょっと」

とか、

「重さん、出かけるよ」

とか言いすてて、桶町千葉の屋敷を出てゆく。帰るのは、いつも明け方ちかくなってからだ。

（なんでしょう）

さな子は、気になって仕方がない。竜馬の挙動がわからないというのは、さな子にとって、居ても立ってもいられないことだった。

「お兄様、ちかごろの坂本様はどうなされたのでございましょう」

「しっ、大きな声を出すな」

隣室が、父の貞吉の部屋だ。

「おれは、これだと思うよ」

声をひそめ、小指を一本、立てた。

「こゆび？」

「ばかだな、お前。おんなだよ。どこかの岡場所に女でもできたにちがいない。おれはそうとにらんでいるんだ」

「まあ」

驚く表情をしてみせたが、さな子はそう思っていない。重太郎とはちがって利発な娘だ。

「嫉《や》くなよ」

「なにをおっしゃいます」

さな子は、兄のこんな軽薄さがきらいだ。

「お兄様、そのような言葉は武士の口にすべき言葉ではございません」

「しかし」

重太郎はそれでも剣客だ。

「あいつは、屋敷を出るときは一人だが、すぐ近所で二人になって歩いてゆくよ」

と、観察はこまかかった。

「たれと、でございます」

「気色《けしき》ばむな。例の泥棒だ、ホラ、寝待ノ藤兵衛とかいった……」

「ああ、あの泥棒」

「そうだ……すると」

重太郎も、首をひねった。

日暮前に出て、明け方にもどってくる、しかも連れは泥棒だ、——となれば、話はどうもおだやかでなくなる。

「まさかねえ、竜さんが。——」

重太郎は、想像をうち消すように首をふった。

「あたりまえでございますよ、お兄様」

といった。まさか泥棒をしにゆくのではなかろう。

「お父様」

ところが、赤坂元氷川下の勝屋敷でも、よく似た会話がかわされていた。

といったのは、ことし十四歳になる次女の孝子である。のち、旗本の疋田《ひきだ》氏にお嫁入りした娘で、なかなかの利発者であった。

「裏の木戸のそばで、毎夜、浪人者がすわっているのをご存じでございますか」

「どんな男だえ」

「大きいおひとでございます。刀を抱いて居眠りしていらっしゃいます。しかも供らしい町人体の者が、屋敷のまわりをぐるぐるまわっておりますけど」

「そいつは、きっと竜馬だよ」

「りょうま、って、このあいだお父さまを刺しにきたというあの大きな浪人さんでございますか」

「そうそう、坂本竜馬」

孝子は、のち、婚家の疋田家で年老いてからも、このときのことをときどきおもいだして、

「おかしなひとでしたよ、坂本竜馬というひとは。――」

と、語っていたという。

余談だが、のちに孝子が輿入《こしい》れした幕臣疋田家は旗本のなかでも古い家系で、「寛政重修諸家譜」によれば、徳川家康の父広忠の代から仕えている。喜右衛門、喜左衛門、喜兵衛といった名が世襲だったらしい。家禄は六百石。紋どころは、丸にやまとなでしこ。

と、ここまで書いてふと気づき、私の知友の東京都在住森本栄氏の夫人和気子《わきこ》さんが疋田家の出であることをおもいだし、森本氏に電話をかけてみた。

電話だから要を得なかったが、和気子夫人の亡父、つまり孝子の長男疋田玄亀《げんき》氏は、維新後、野口英世《ひでよ》とともにアメリカへ渡って苦学しながら土木工学を学び、朝鮮総督府技師として、朝鮮の開発につくしたひとであるという。森本栄氏は、主婦の友社の編集長である。

さて、孝子。

「坂本さまは、父の知遇に答えるために、当時刺客が多かったものですから、せめて夜警でも、と思われたのでしょうか」

と、語り残している。

竜馬は、事実、そのつもりであった。

勝屋敷の裏門には、ひさしがついている。その下で刀を抱き、ごろっと寝ころがって、寝待ノ藤兵衛にまわらせていた。

(勝先生の弟子になったとはいえ、いまさら蘭学を学ぶ気にもならん。それに先生の知遇に報ずる道もない。せめて夜警でもしよう)

怪しい影を見れば、飛び出す気だ。

竜馬は、一見、不逞、性不羈《ふき》、その男が夜警をしようというつもりになったとは、よほどのことであろう。

また竜馬は、惚れにくいたちであった。女にも男にも。

しかし惚れたとなれば、夜警でもやる、というところがある。

「可愛気のある奴だな」

と、勝は笑って捨てておいた。

ところがある夜、その竜馬のそばに忍び足で寄ってきた四人の影がある。

みな武士である。

（さては、刺客か）

竜馬は薄目をあけたまま、身をうごかさず、ねむったふりをしていた。

「刺客」は提灯をもっている。

なんと、土佐侯の定紋入りの提灯だ。その三《み》ツ葉柏《ばがしわ》紋の馬乗提灯をぐっと近づけて、

「竜馬、神妙にしろ、御用である」

といった。

これには閉口した。刺客どころか、脱藩者竜馬を捕えにきた土佐藩鍛冶《かじ》橋《ばし》藩邸詰めの下横目岡本健三郎ほか三名であった。

（……ふむ？）

竜馬はおきあがった。

「なんじゃ、用か」

頭上に、寒月が出ている。南国うまれの竜馬には、江戸の寒さがこたえることだ。

「鍛冶橋御屋敷まで同行してもらおう」

と下横目岡本健三郎はいった。

「竜馬、脱藩《くにぬけ》の詮議は上意であるによって、乱暴することはならんぞ」

「せん」

竜馬は寝待ノ藤兵衛を手でまねき、

「委細はそこできいていたとおりだ。あとはお前ひとりで見張っちょれ」

といった。

「寒いのう岡本」

竜馬は左腕をふところに入れ、いかにも寒そうな恰好で歩きだしたが、

「坂本さん」

と、岡本健三郎がひとり追いかけてきて、

「オンし、本当に捕われる気か」

と、同僚にきこえぬように、小さな声でいった。呼び方も「竜馬」から、坂本さん、にかわっている。

岡本姓というのは土佐藩士に多い。まぎらわしいから健三郎のことを、同藩の者は、岡健、岡健、とよんでかろんじていたが、下横目の卑役ながら、勤王の志がある。といってべつに学問があってのことではなく、

(なんぞ、世の中に血の騒ぐようなことはないか)

という程度の「志士」である。もっとも同藩ながらも、話にきく竜馬をみたのは、今がはじめてであったが。

「どうなんじゃ」

おそるおそる、肚をさぐっている。

「いや、まだきめておらん。ただ夜中、勝屋敷のまわりを騒がすのは勝家へも近所へも

迷惑と思うたゆえ、いまからお堀端へゆくんじゃ」

「堀端でどうするんじゃ」

「お前《まん》らを投げこむんじゃ」

これには岡健も参って、

「竜馬、手荒をすンな」

と、いそいで草履をぬぎ、裏をぴたりとあわせて帯のあいだへはさみこんだ。岡健は、はだしである。

「岡健、やる気か」

「いや、逃げる用意じゃ」

岡健は、気が弱そうに笑った。

「お前にはどうも勝ち目がない。それに国もとでも京都藩邸でも、上士は頑固無類の佐幕ながら、軽格は武市先生のもとに結集してなかなか気勢があがっちょるということじゃ。坂本さん、お前は、武市先生と大そうな友人であられたとのことじゃの」

「まあ、友人ということになるか」

考えは、ちがってしまっている。武市は、うわさではあいかわらず、熱狂的な攘夷論者であり、天皇、公卿がありがたくて仕様がないところ、一種の宗教運動家のようなものだ。

「武市先生が、いま江戸にきておられる」

「きいている」

竜馬が、気のなさそうな返事をしたとき、背後で小柄な人影が立った。

勝である。

海舟も、物好きな男だ。

裏木戸の内側からじっと外の様子をうかがっていて、やっと事情がわかったのだろう。

寝巻のまま路上に出て、

「ちょいと待った」

と、やったのである。

岡健は、はっと跳びのいて、土佐拵えの剛刀のツカに手をかけた。

「なにモンじゃ」

「この屋敷の殿様だよ」

と勝みずからいった。

「事情はきいたよ。おれははじめ、裏門のあたりがざわめくから、これはてっきりおれを殺しにきたかと思って出てみると、おれの門人の竜馬をひっくりにきたというじゃないか」

岡健とその同役は、月下の路上に影を穿《うが》ちこんだまま動かない。

「お前さんは、何という名だえ」

勝は、例の饒舌《じようぜつ》である。饒舌はこのひとの生涯かけての欠点で、このためずいぶんと無用の敵もつくった。むしろ敵をつくるのが娯楽、といったしゃれっ気が、海舟勝麟太郎にはある。

「お前さんたち、その長がたなはなんだ。土佐ぶりといって大威張りで江戸の町を歩いているようだが、一寸でも二寸でも刀が長けりゃ、そのぶんだけ自分がえらくなった、と思っているのかえ。それなら禰宜《ねぎ》(神主)のひげとおなじだ。禰宜てのは、社格のひくいお宮の禰宜ほどひげをはやすよ。禰宜をみて大きなひげなら、こりゃよっぽど小せえお宮の禰宜だなと思ってまちがいない。それとおなじで、刀の長いやつに中身のあるやつはいないよ」

どうも、あられに撃たれているようで、こうポンポンやられながら、岡健らはふしぎと腹が立たない。

「この寒夜だ」

勝は月をあおいだ。

「お役目をねぎらう意味で、うちの奥様にそういって甘酒でもつくってやるから、みんなお入りよ」

勝は、裏口から入ってしまった。

「坂本さん、どうします」

岡健も、困惑のていである。このほかにも、南馬太郎、土居熊蔵、茨木兎毛《とげ》。

竜馬をはじめ、動物にちなむ名が多いのは当時の土佐の風習で、動物の精気をうけて子供が丈夫にそだつように、という土俗信仰から出ている。武市半平太は幼名鹿衛《しかえ》であったし、ほかに、のち天誅組首領になった吉村寅太郎、のち土佐藩参政になった後藤象二郎、明治後自由民権運動を展開した馬場辰猪《たつい》などがそうであり、女では、ヨサコイ節のはりまや橋のくだりで艶名をうたわれたお馬、それに、手近なところでは、竜馬が可愛がっているメイは、春猪である。

「みな、入れ入れ」

と竜馬は、この動物どもを勝邸に押し込み、ついで寝待ノ藤兵衛も入れてやった。

夜中、勝家は、甘酒のふるまいで、台所は大さわぎになった。

勝夫人は、長女の夢子、次女の孝子、それに婢女《はしため》を指揮して、甘酒をつくった。

「お母様、土佐のひとは、声が大きくて、犬でも吠えているようでございますね」

と、孝子がくすくす笑った。

「みな、土佐の御家中でも身分のお低い方ばかりなのでございましょう？」

「さあ」

勝夫人は、相手にならない。

「お運びなさい」

と、娘たちに命じた。

まったくこの一事をみただけでも、勝家というのはかわっている。いま書斎に来ている連中は、土佐藩でも軽格で、家中の上士からはチリのようにあつかわれている連中なのだ。そういう下級侍どもに対し、大旗本たる勝家の奥様自身が台所に立ち、市中の者に、

「お姫様《ひいさま》」

といわれている娘二人に、甘酒を運ばせるというのである。

書斎では、海舟が相かわらず大気焔をあげていた。世界情勢のなかにおかれている日本の立場をこまごまと説き、

「お前さんら、ぼやぼやしていちゃ、国がつぶれるよ」

と、いうのである。

海舟の座談は、もはや芸といっていいほどのうまさがある。それに、相手をみてたくみに例をひくのだ。

「お前さんらは、土佐っぽだろう。土佐の軽格といえば、山内家が入部《にゅうぶ》する前の国主長曾我部家の遺臣の血流だときいている。長曾我部てのは大した海国でなあ。秀吉公の小田原征伐のときも、長曾我部家では十八反帆《たんぼ》の大黒丸という途方もない巨船をこしらえて浦戸湾を乗り出し、小田原攻めへ海上から参加したという家だ。その大黒丸に乗っていた子孫であるお前さんらが、戦国時代の武器だけで外国の大艦と戦さをしようというのは料簡が小さすぎやせんかえ」

そんな調子である。

岡健らは、はじめてきく話ばかりで、すっかり昂奮してしまった。

そのころあいを見はからって竜馬はすかさず、

「勝先生、こいつらも弟子にしてやってください」

といった。岡健ら下横目は、あ然とした。脱藩人竜馬をとっつかまえるのが、今夜の役目ではないか。

「ああ、いいとも」

勝は簡単にうなずいたから、岡健らは、うれしいやらこまったやらで、複雑な顔つきになった。

「しかし竜馬、おれはこれでも大公儀の軍艦奉行だ。お前らをかまっているひまがない。だから、お前を勝塾の塾頭にしよう。お前にいろいろ教えてやるから、お前が、この連中に教えなさい。四君、よろしいか、今夜から坂本竜馬を先生と心得るのだ」

まったく、下横目にとっては妙なことになった。塾頭先生を捕縛するわけにはいかないではないか。

「坂本先生、よろしく」

と、四人の下横目は頭をさげた。そこへ夢子、孝子の手で甘酒が運ばれてきた。

その後、竜馬が千葉道場にいる、ということは、鍛冶橋の土佐藩邸では、公然の秘密になってしまった。

「まあ、捨てちょけ」

というぐあいになった。

ひとつには、藩の支配層に、勤王同情のいろあいが出はじめたからである。武市半平太の努力によるものだ。

文久二年四月、「土佐の井伊大老」といわれた参政吉田東洋を城下帯屋町で暗殺して以来、武市のクーデターはやや成功した。

むろん、御一門、保守、それに勤王、といった複雑な門閥の連立内閣ではあったが、とにかく土佐藩は、

「薩長土」

と三藩並称される勤王藩として風雲に乗りだしはじめていた。

いわゆる勤王決死の志士の人数は、土佐藩が最も多かったのだが、藩は佐幕である。志士はいずれも郷士、軽輩の出身で、藩政を動かすことはできない。

それを、わずかでも武市は動かした。巨岩を素手《すで》で動かすような困難さと無理が必要であった。その無理の一つが、東洋暗殺であった。

武市は、その黒幕である。

しかし国許の官僚機構をにぎってしまった以上、死んだ吉田東洋派の旧官僚たちは、腹の中で、

「武市が殺《や》らせた」

と知っていても、どうともできない。

だいいち国許の検察権をにぎる大監察は、小南五郎右衛門と平井善之丞で、上士のなかでもめずらしく勤王思想家であり、武市が推しあげてその任につけた連中である。目付や下横目たちがその職によって犯人捜査をしても、すぐ上のほうでにぎりつぶしてしまう。

その間、武市は京都の公卿工作を進め、ついに八月、薩長両藩とともに、

「京都守護」

という内勅をもらうまでにこぎつけた。いずれも武市の大芝居である。

当時の法制的な考え方からゆくと、大名は幕府の命によって動く。朝廷とは日本国家の神主のようなもので、政権、武権なく、むろん「内勅」などによって、

「京都守護」

を命ずることはできないのだ。

土佐藩の若い藩主の豊範《とよのり》は、十七歳ながらもさすがに、

(これはおかしい)

と気がついたのだろう。

「江戸の老公(容堂)に御相談せねば」

といったが、武市らは八方説き伏せて、ついに四百の藩兵をもって上洛した。

　武市は、藩ではなお一介の「白札郷士の小頭」というひくい身分にすぎなかったが、大いに京都で対朝廷工作をやり、それも着々成功して、朝廷から幕府に対し「攘夷督促」の勅使をくだすという筋書をかき、この晩秋、正使三条実美《さねとみ》、副使姉小路公知《きんとも》が関東下向、土佐藩主みずからそれを警固し、策士武市半平太も、表むき公卿侍柳川左門という名で東下《とうげ》。

一介の郷士の身で土佐藩をここまで動かし、しかも土佐勤王化の大事は半ば成った。

　ある日、その武市が、ひょっこり千葉道場に竜馬を訪ねてきたのである。

「竜馬ァ、懐しいのう」

　半平太が刀をおいてすわった。

「………」

　竜馬は、微笑した。

が、内心、武市の変りかたにおどろいた。

(苦労したな)

　かつては白皙大兵《はくせきだいひょう》、文字どおり美丈夫といってよかった武市半平太が、いまはさほどの齢でもないのにびんに白髪がまじり、顔に百姓のような陽やけじわがよっている。国もとに、京に、江戸に東奔西走し、いま土佐藩をひっさげて天下の世論をかきまわしている半平太は、席のあたたまるまもないのであろう。

髪のかたちもかわった。かつては講武所風に結いあげて月代《さかやき》を細く土佐風に剃りあげていた半平太は、それが男でも惚れぼれするほど似合ったのだが、今は、公卿風の諸大夫髷《しょだいぶまげ》である。

「半平太、まげがかわったな」

「これか」

柳川左門。

それが半平太の変名だ。こんどの正副二人の勅使のうちの副使姉小路少将の家来、という名目なのである。だから公卿の侍らしいまげにかえていた。

むろん、半平太はあくまでも土佐藩士であるが、一介の外様大名の下級藩士では、幕府の高官に対する工作ができないのだ。それに二人の勅使がしゃべる筋書は、武市が考えてやらねばならない。

だから、藩庁の許可をえて一時的に、公卿の家来ということになったのである。

半平太は、江戸城の殿中にもその「格式」で出入りした。しかも殿中では、四位《しい》以上の大名以上でなければ用いられない「烏帽子《えぼし》、直垂《ひたたれ》」を着用した。

ちょっとした天一坊である。

幕府側でも、

（こいつは土佐の下級武士だな）

と見ぬいてはいるが、勅使の家来だからどうとも言いようがなかった。

乱世である。

「半平太も大変だな」

と竜馬がいった。

半平太には、半平太の壮大な野心がある。土佐藩というものを将軍の統制から脱せしめて天皇の親藩にしようという野望である。しかし将軍あっての大名というのが徳川の法則だから、そんな手品のようなことができるかどうか。

第一、江戸屋敷でぎょろりと眼をむいている藩主の父容堂がゆるすまい。容堂は勤王家であるとはいえ、まったく精神的なもので、政治的には徹底的な佐幕家である。それに天下の法律秩序をあくまでもまもるという強烈な保守主義者である。

(いつまで江戸の御隠居がこの武市のにわか芝居をだまってみているか)

竜馬は、あぶなっかしく思うのだ。

が、武市は武市の考えからみると、竜馬の行動のほうが、えたいが知れない。事もあろうに幕臣、開国論者(すなわち、奸賊、とみるのが尊王攘夷論者のがわ)の勝海舟の門人になったというではないか。

「どうなんだ、その点」

と、武市半平太は、刺すような眼で竜馬を見つめた。

「半平太、まあ、ながい眼で見ろや」

「なにを見るんじゃ」

「わしを、よ」

竜馬は、議論しない。議論などは、よほど重大なときでないかぎり、してはならぬ、と自分にいいきかせている。

もし議論に勝ったとせよ。

相手の名誉をうばうだけのことである。通常、人間は議論に負けても自分の所論や生き方は変えぬ生きものだし、負けたあと、持つのは、負けた恨みだけである。

が、半平太は議論好きだ。相手の肺腑を突くような言葉をつかい、トドメを刺すまでやめない。竜馬のみるところ、半平太は素敵な男であるが、論鋒《ろんぽう》、するどすぎる。しかしこの日はめずらしく、舌鋒を途中でおさめ、

「竜馬、たのむ」

と頭をさげた。

「脱藩のことはおれが何とでも繕《つくろ》う。藩に戻っておれと一緒にやってくれ。お前《まん》は奇策家じゃ。いま、お前のような人物が要る」

「おれは奇策家ではない」

竜馬の本音《ほんね》だ。

「おれは奇策家ではないぞ。おれは着実に物事を一つずつきずきあげてゆく。現実にあわぬことはやらぬ。それだけだ。それをなぜ人は奇策家とみるのか、おれにはわからん」

「竜馬、これは秘事だが」

半平太は、じつは朝廷に、十七歳の土佐藩主山内豊範の名で建白書を出している。まず、近江、摂津、山城、大和という四カ国を幕府から取りあげて（出来はしないが）朝廷の領地にすること。その領地の経済力で諸国の浪人をあつめて天皇の旗本をつくること。さらに、薩長土三藩をはじめ、因州、備前、阿波、九州諸藩といった勤王諸藩に京都守護をさせること。政権を幕府からとりあげること。

など、幕府が知れば肝をつぶすかもしれぬ内容のものである。

いや、肝をつぶすのは、藩の実権を実際ににぎっている江戸の御隠居様の容堂公であろう。

いやいや、武市があやつっている勤王派の重臣小南五郎右衛門でさえこれにはびっくり仰天した。というのは、武市が、

「朝廷へ藩としての建白書を出そう」

と、小南に相談したとき、小南はなにげなく、

「では草案を作っておいてくれ」

といったのだ。武市は、書いた。

その草案を、小南にも見せず、若い藩主にもみせず、むろん江戸の御隠居にもみせず、その「草案」のまま、青蓮院宮《しょうれんいんのみや》にみせたのである。宮は孝明帝の政治顧問であられるから、いきなりそれを、

「土佐藩主の建白書でございまする」

と、天皇におみせした。このため、れっきとした公文書になってしまったのである。

同志の小南でさえ、怒った。

所詮は、武市のやることは手品であり、あとですぐ尻の割れる「奇策」である。真の奇策とは、もっと現実的なものだ。

が、竜馬はだまっている。

武市は、不得要領のまま、帰り支度をしはじめた。

「済まなんだ」

竜馬は、心の底からいった。武市半平太がわざわざそれを言うためにやってきた二つの忠告を、二つながら、竜馬は聞きながしたかたちになったのである。

「いや、いいんだ」

と、武市も屈託がなかった。竜馬がいなくても、おれは自分だけの力で藩を動かすことができる、と、みずから信じている男だ。

「竜馬、当節、身辺に気をつけなさい」

「半平太、お前こそ」

と、玄関へ送りだした。

武市は式台の上にふと立ちどまって、

「竜馬、男とはむずかしいものだな。お前とおれなら、肚を割って話せば意見があうとおもったが、そうではない。竜馬、お前はひとりでゆくやつだ」

といった。

竜馬、黙然《もくねん》。

「そうだろう」

「いや、やがては天下の同志を糾合《きゅうごう》する。しかしながら、いまはその時期ではない。幕府の屋台骨はまだまだ頑丈なものだ。一藩や二藩の力ではどうにもならぬ。時というものがある」

「時まで、竜馬は寝て待つのか」

「待たん」

「どうするんじゃ」

「海軍をつくる」

「ほ？」

「おれの艦隊をつくってその力で勤王藩を握手させ、十分に用意をととのえた上で、京都を中心とした国家の統一をとげ、しかるのちにおれは身をひく。大事は一朝一夕には成らぬ。これには五、六年の歳月が要るだろう。半平太、勤王決死の士だけの集りでは、天下の事は成らぬぞ」

（法螺め。言うことが遠大すぎるわ）

と半平太は思いつつ、

「その海軍は、いつ作るんじゃ」

「わからん。おれ自身がいま、軍艦ちゅうものをぼつぼつ習うちょる時じゃからのう」

「幕臣の勝から？」

「偏見をもつな。相手が幕臣であろうと乞食であろうと、教えを受けるべき人間ならおれは受けるわい」

「竜馬」

半平太はまたもとの議論にもどった。

「土佐二十四万石を勤王に塗りかえて、それをもって幕府にあたるほうが実際的であると思わんか」

藩に帰れ、というのだ。

「いや、塗りかえはお前にまかせる」

と竜馬はいったが、土佐藩主山内家は外様ながらも関ケ原以来、徳川の恩顧もっとも厚い藩で、その恩はたれよりも御隠居の容堂公が感じている。とうてい、勤王塗りかえはむずかしかろうと思うのだ。竜馬は、自分の藩を見限っている。

「半平太、おれはおれのやりかたでゆく」

「竜馬艦隊をつくるというやりかたか」

武市は、箸《はし》にも棒にもかからん、という顔で出て行った。

嵐の前

ある日、竜馬は赤坂元氷川下の勝屋敷をぶらりと出たが、まだ陽が高い。

（桜田の長州屋敷にでも遊びにゆくか）

桂小五郎に会おうと思ったのである。小五郎は眼ばかり光った陰気な男だが、しかし尋常の男ではないことを、竜馬は、むかし伊豆の山中で遭ったころから知っている。

（あいつは攘夷屋は攘夷屋でも、武市のような神がかりではない）

藩邸に入ると、邸内有備館《ゆうびかん》から小五郎は外出支度で出ようとしているところだった。

「おお、坂本さん」

邸内に、大きな欅《けやき》がある。その樹下で師走《しわす》の風が落葉を舞わせていたが、小五郎はその落葉を踏み、一歩ずつ落ちついてちかづいてきた。

双方、欅の下で、出会った。

「脱藩なさったそうだな」

と、小五郎は、竜馬をみた。竜馬の袴のすそが、すりきれている。

「天涯の孤客さ」

と、竜馬は笑った。

桂の身なりはいい。もともと様子のいい男だが、ちかごろ、身分も高くなっている。大検使から祐筆副役《ゆうひっそえやく》になり、有備館塾長を兼ね、さらに最近では「国事周旋方」という藩外交をきりまわす役目になっていた。

桂は、なんといっても、長州藩では上士のうまれである。長州藩、薩摩藩ではお目見得以上の上士の出身に勤王家が多く、土佐藩はその逆であった。武市半平太でさえ、藩の官僚にはなれないのである。

(桂にくらべると、武市は可哀《かわい》そうじゃ。うまれついた藩がわるかった)

だからこそ竜馬は藩をすてたのだ。

桂、このとし三十歳。

京都で一仕事をして、江戸へ帰ってきたばかりである。

真黒に道中焼けしている。

「坂本さん、桶町千葉にいるそうだな」

「ああ、居候《いそうろう》」

「それで勝のもとに通っているときく」

「よくごぞんじだ」

「はっはは、土佐藩の連中にききますよ。みなあんたにはこまっているらしい」

「そうだろうとも」

竜馬は上機嫌でうなずいた。

小五郎もさすがに笑って、

「相変らず、のんきだな」

といった。竜馬は、藩の保守派からは吉田東洋殺しの嫌疑をうけているし、武市らからは「攘夷の剝《は》げおち者」といわれて白眼視されている。

「坂本さん、私はいまから薩摩藩の連中と酒席を共にすることになっている。あす、私のほうから訪ねるから、一度、肚《はら》の中をみせてほしい」

「いまのところ、見せるほどの肚はないよ」

「まあ」

と、桂は、別れた。

翌日、約束のとおりやってきた。

ちらりと洩らしたところでは、どうやら、ゆうべの薩長の宴会は大荒れだったらしい。

天下に、この薩長両藩ほど仲のわるい藩はないのである。

なぜ薩長両藩が仲がわるいか。

理由をかけばきりがない。

もともと徳川時代の藩というのは、他藩に対してつねに疑いぶかく、競争心がつよく、つねに自藩中心主義で、「おなじ日本人」という思想は皆無といってよかった。

仲のわるいのは、薩長だけではなかったのである。

ただ薩長は、おなじ水戸学による勤王倒幕思想をもち、しかもどちらも徳川家には恨みこそあれ、恩はない。自然、三百余藩のなかではもっとも行動的で、藩主以下、国家改造の選手という意識がつよい。

いわば、おなじ穴のむじなである。

それだけに競争心がつよく、勤王活動も、

「薩摩に負けるな」

と長州人が力めば、薩摩側も、

「長州はなにを仕出かすかわからぬ藩じゃ。勤王と申しても本音は、天皇を擁して京都で旗を立て、毛利将軍になろうとたくらんでいるふしがある」

と、かんぐる。

すでに競争心というより敵愾心《てきがいしん》である。この感情は、理屈ではない。戦国以来の武士の風《ふう》である。しかもこの傾向は、長州の桂小五郎、薩摩の西郷吉之助（隆盛）といった指導者にさえ、（いや指導者ほど）濃厚にあった。

そこで、

「一度、話しあってみよう」

ということになった。

竜馬が桜田の長州藩邸に桂小五郎を訪ねたとき、桂が出支度をしていたのは、この会合に出るためである。

会合は、二度もたれた。

最初は、長州藩側が、薩摩藩側を、木挽町《こびきちょう》の「水月」へ招待した。

次回が、昨日である。これは、薩摩が返礼として長州を招《よ》んだわけで、場所は、薩摩の江戸詰めの留守居役がよくつかう柳橋の「川長」であった。

芸者をあげて、さんざん遊んだ。が、酔いがまわるにつれて、双方仲がよくなるどころか、言葉のやりとりの一つ一つがカンにさわりはじめて、酒席は険悪になった。

出席者は、長州藩は、重役中もっとも矯激《きょうげき》な性格のもちぬしである周布《すふ》政之助（のち時勢を嘆いて自殺）を筆頭として、戦国豪傑のおもかげのある来島《きじま》又兵衛（のち蛤御門ノ変で戦死）、それに桂小五郎。

薩摩側は、西郷吉之助、大久保一蔵（利通）、堀次郎などである。

「それで？」

と、竜馬は、話し手の小五郎にきいた。

「うまく薩長うちとけたかえ」

「いや」

小五郎は、にがい顔である。

「君は土佐人だからいうが、薩摩人というのは、性根こぞって奸佞《かんねい》じゃ」

「ほっほっ」

竜馬は妙な笑い方をした。

「むこうも、長州をそう考えつろうで」

「どうか知らんが、僕はこの年になるまで、あんな無法無茶な酒席に列したことがない」

桂の話すところでは、ここは、柳橋「川長」の楼上。

ひとわたり酔いがまわったあたりで、酒癖のわるい長州側の周布政之助が、

「少々、ごあいさつ申しあげたい」

と、末席にすわった。

「とにかく薩長は仲がわるい。これを機会に大いに貴藩（薩摩）と懇親をふかめ、両藩手をとりあって国家の難事にあたりたい。もし万が一」

とここまではよかった。

「わが長州の罪にて両藩仲違《なかたが》いになるようなことがあれば、この周布政之助、切腹してお目にかけまする」

「では」

と、刀を引きよせたのは、これも酔っている薩摩側の堀次郎である。

「拙者、介錯《かいしやく》をつかまつろう」

とやった。横にいた薩摩の大久保一蔵が、

「これ、なにをいう」

と、堀のそでをひいたが、もうなにもかもぶちこわしだった。

周布は、眼がすわっている。立ち上がった。大剣をぬいた。

「いや、抜いたは余興。余興にて長州の剣舞など馳走する」

と舞いはじめた。

芸者、末社《まっしゃ》が、蒼くなったほどのすごい剣舞で、舞うごとに、
ぶん、
と太刀風がおこるほどに白刃を旋回させ、ときに、堀次郎の鼻先へ、きらっ、きらっ
と切先が触れそうになる。

桂は立ちあがって、

「周布さん」

と抱きとめた。

「剣舞など不粋ですぞ」

「不粋？　小五郎。薩摩隼人《はやと》というのは、弾丸刀槍《だんがんとうそう》が酒のサカナじゃと頼《らい》山陽も讃えたではないか。おれは薩人にサカナを饗《きょう》するために白刃の舞をしておる」

「まあ、それはいずれあとで」

「小五郎。おれはやめんぞ」

　長州同士が揉みあっているうちに、薩摩の大久保一蔵が昂奮してきた。のちの利通も若かった。

「よし、オイは薩摩のタタミ踊りをお目にかける」

　と、タタミを一枚はがし、片手でタタミを皿マワシのようにぐるぐるまわしはじめた。

　その早さ、風ぐるまのようで、しかもホコリをたてながらバタバタと座敷いっぱいに旋回し、それがやがて長州の席へ旋回してゆき、たれの頭にあたるかわからぬ景況になってきた。

　気のみじかい長州の来島又兵衛などは大刀をひきつけた。芸者、末社たちは肝《きも》をつぶして足袋はだしのまま中庭へとび出した。

　そのとき西郷が、やおら立った。

「長州藩のお歴々も、薩摩の者も、よう見てくだされ。オイの余興はこれでごわす」

　と、股間をもそもそたくしあげて一物をとりだし、ローソクの灯で毛をジリジリと焼きはじめた。

　芸ともいえぬこの余興のばかばかしさに、一時はどうなるかと思われた一座の空気もひときわ静まったという。

　竜馬の毎日は、勝の屋敷に通ったり、築地南小田原町の「軍艦操練所」へかよったりしてなかなかいそがしかった。

軍艦操練所の総督（校長）は、幕臣永井玄蕃頭尚志《げんばのかみなおむね》である。のち主水正《もんどのしょう》とも称した。

いわゆる英雄型のひとではないが、非常な能吏で、幕末史上、見おとすことのできない人物である。

勝とおなじように幕臣のなかでは早くから洋学を身につけたひとで、若くして外国奉行とか軍艦奉行といった新設の官職につき、例の井伊大老からきらわれて一時免職されたが、のち大目付、若年寄などを歴任し、最後の将軍慶喜《よしのぶ》に愛され、よき補佐役であった。後年、竜馬と重大な関係をもつが、これは物語ののちのちの展開にゆずるであろう。維新政府に仕え、元老院権大書記官となり、明治二十四年七十六歳で歿している。

いかにも名家の出らしく容貌は婦人のようで、大きな声ひとつ出さないが、肚はすわっている。なにしろ、最後まで官軍に反抗して箱館戦争にまで参加したほどの男だ。ただの能吏、というだけの人物ではなかった。

その永井が、部下の教授方のひとり岩田平作に、

「ちかごろ、実習や学科の席に、見なれぬ浪人がひとり加わっているのはどういうわけです」

ときいた。

「総督はご存じなかったですか」

「存じません」

「われわれは勝先生から総督あてに話が通じてあるものと思い、黙認していたしだいです」

「なんという者です」

「土州浪士、坂本竜馬という人物です」

「ははあ、土州者」

といえば、当時、極端な攘夷論者として相場が立っていた。

「土州者なら攘夷屋でしょう。乱暴を働きはしませんか」

「ただ、軍艦好きなだけのようです」

「それは」

こまる、という表情を永井総督はした。いわば、偽学生である。操練所は大公儀の御役所だから、そういう者の出入りはこまる。

「私からいいましょう」

と、永井総督は、大刀を帯にさしこみ、黒羽二重《くろはぶたえ》の紋服で校庭に出た。

構内のすみに、艦砲がすえてある。それを一団の学生がとりまき、教授方から操法をまなんでいた。

その人垣の背後に、黒木綿に桔梗の紋服、ひだがよれよれになったマチ高袴の浪人者が、ふところ手をしてのぞきこんでいる。

懸命な顔だ。

永井総督はそのそばへ寄って行って、

「足下《そっか》は、どなたです」

ときいた。ところが浪人者はふりむくどころか、大砲から眼をはなさず、

「坂本竜馬」

と、面倒くさげに答えた。


艦砲は、小形の砲車に載《の》せてあった。

教官は、例の中浜万次郎である。土佐の漁師言葉で砲の操法や火薬のあつかいかたなどを説明するのだが、ときどき、つまる。

日本語を忘れる。

ということもあり、なかには日本語に訳されていない部品や術語も多く、そういう場合は、万次郎は巻舌音《けんぜつおん》のつよい米国語でやってしまう。

みなわからない。

竜馬もわからない。

が、万次郎は、言葉の不自由をおぎなうためにさかんに自分で砲を操作してみせる。

「みな、わかっちょるな、ああ？」

一動作ずつ念を押し、つぎの動作にうつってゆく。

火薬の装填法《そうてんほう》になると、これはなかなか厄介である。万次郎はほとんど英語でやってしまい、最後の、

「みな、わかっちょるな、ああ？」

だけは日本語である。それだけが、みなにわかるが、かんじんのところはさっぱりわからない。なにしろ十五歳でアメリカへ漂流してしまったひとだし、学生のなかには蘭語は多少知っている者があっても、英語はわからない。

「わかりません」

と、背後の竜馬。人垣を押しわけて行って、これはどうなっちょります、ここはどうじゃ、といちいち質問する。

学生はみないやな顔をした。要するにてんぷら学生である。

（いつものことらしいな）

と、永井総督は、察した。

学生たちも、このえたいの知れぬ浪人をおそれて、なにもいわない。しかし不快の感情が、どの学生の面上にも出ている。

「中浜さん」

と、総督永井玄蕃頭は教官にちかづいた。

「このひとは、どなたです」

「は？」

と、砲側にしゃがんでいる万次郎は汗ばんだ顔をあげた。

「ああ、この男。これは坂本竜馬と申し、私の従僕です」

万次郎は、意外な機転をきかせた。なにしろ鎖国時代に、アメリカ三界をあるきまわった男だけに、度胸も機転もあるらしい。

「そうですか」

永井はむずかしい顔で、

「坂本君、あとで私の部屋に来なさい」

といった。

竜馬は、午後三字（時）、実習がおわると同時に、永井玄蕃頭の部屋に行った。

永井は、自分の下僕にいいつけて、茶菓だけは出してやった。大福餅が三つ。

竜馬は、茶をのみ、餅を食った。昼食だけは学生と一緒でないから、竜馬は腹が空ききっている。夢中でたべた。

食べおわってから、顔をあげた。

永井玄蕃頭は、思わず笑ってしまった。ここで笑えば、もう永井の負けである。

「あんたは度胸がいい」

そういうわけで、竜馬の軍艦操練所の不法侵入はうやむやになってしまった。

学生のほうも、

「あいつは北辰一刀流の剣客だそうだ」

ということがわかってきて、なんとなく気味わるくもあり、このため不愉快ながらも黙っていた。

竜馬は、測量も算術も機関学の講義もきいた。例によってどんどん質問もした。質問がとんちんかんで、学生の失笑を買ったりしたが、当人は平気である。

火薬の調剤法の講義のとき、教官が外国人からきいたある話を受け売りした。

当時は、黒色火薬である。硝石《しょうせき》、木炭、硫黄《いおう》を配合してつくるもので、これは日本では戦国初期、鉄砲伝来いらい伝わっている。

主成分は硝石である。これは奇妙な鉱物でどの土壌にも多少はふくまれているが、水に溶けやすいため乾燥地で採れやすい。だから古来、旧家の床下の土や、土牢などから採っていた。竜馬がまだ十代のころに死んだ農政学者佐藤信淵《のぶひろ》は、その著書のなかで、

「万一、国家に硝石が乏しかったならば、軍威を盛んにすることはできない。ゆえに国の政務をとる者はかならず硝石役人を置き、村々をまわって硝石を集めしめよ。そもそも硝石は天地の賜物《たまもの》である。どこの土地でも生ずるものだ。およそ旧家の床下、牛馬の小屋、土蔵などの土には自然に硝石が吹きだし、しかも年々採っても、年々化生するものである。ただ水難ある村には出来ない」

と語っているし、現に心がけのいい藩では戦国以来、硝石の採集をつづけている。たとえば加賀百万石の前田家では、一部の山村に命じ、養蚕などの廃物をその家々の床に積みあげさせ、冬の雪のあいだにこれから硝石をとり、租税のかわりに納めさせていた。

だいたい世界各国もそういうやりかたで硝石をとっていたのだが、十七世紀英国がイ

ンドをおさえてから、ここに豊富な天然産硝石があることを知った。

教官は、いう。

「英国はインドの天然の硝石を粗製のままどんどん本国に送って精製した。精製の方法は簡単じゃ。湯をどんどんわかしておいて粗石をほうりこみ、これを冷やせば不純物は底に溜まり、上にうかびあがるのがりっぱな結晶の硝石じゃ。英国はこのインドの硝石を独占したから世界の大国になったといえる」

「ほう」

竜馬は大きな声で感嘆した。世界史の仕組、世界史の発展というのはおもしろいものじゃ、とおもった。この男は、硝石の化学技術的なことよりも、硝石をめぐるそういうはなしに感心するたちである。

年が明けた。

文久三年。

竜馬は、二十九歳である。

元旦には大先生の貞吉老人にあいさつし、ついで勝屋敷にあいさつにまわり、道場へ帰ってくると、ついそばの鍛冶橋土佐藩邸の連中が、竜馬にあいさつにきていた。

「お前《まん》ら、脱藩人にあいさつするとはいかんの」

と竜馬はにがい顔でいった。顔をならべたのは、例の竜馬の「門人」どものほか、かれを敬慕する若者たちである。

竜馬は、少年のころ餓鬼大将になったことがなかった。なきみそ寝小便《よばぁ》ったれで通っていた本町筋一丁目の竜馬のことだから、そのけらいになるような酔狂な「餓《が》鬼《き》」はいなかった。

大人になっても竜馬は一人で歩いている。ひとを手下にしようと思ったことは一度もなかったし、人の手下になろうとも思ったことがない。もともと城下の富裕な郷士の次男坊のうまれである。自然、権力欲というものが薄かった。ひとの上に立ちたい、という気持が、ほとんどなかったといっていい。

ところが、鍛冶橋の土佐藩邸詰めの若い下級武士たちが、ほんの眼と鼻のさきの桶町千葉に居候している脱藩浪人の竜馬をばかばかしいほど敬慕しはじめたのである。

（わからん）

その理由が竜馬にはわからない。竜馬だけではない。筆者にもわからない。いや、理由をあげれば、竜馬の人間、というこまごまとした分析になるかもしれないが、それだけでは、

「人気」

という人間社会のふしぎ、いやもう、奇怪といっていい現象を解くことはできないであろう。

一つのカギはある。

下横目の「岡健」である。藩の警吏として竜馬をとらえようとしたくせに、竜馬に勝海舟の門人にさせられてしまい、竜馬が岡健の塾頭になった。

この、あっというまに変化した人間関係に岡健もはじめはぼう然としていたが、やがて竜馬を犬コロのように慕いはじめた。

まったく竜馬きちがいというような男で、家中でも竜馬を「宣伝」し、

「土佐第一の人物である」

と、いいふらした。自分の警吏《けいり》仲間や、他の下僚仲間に熱っぽく竜馬のことを話して、竜馬講とでもいうべきものをつくりはじめていたのである。

そのころ、薩摩藩の下級藩士のあいだで、西郷講というべきものができはじめていたようなものだ。西郷吉之助が、べツにボスになるつもりで作ったわけではない。西郷に、命も要《い》らずと私淑《ししゅく》する貧乏郷士あがりの乱暴者中村半次郎（桐野利秋）らが、なんとなく作りあげて行ったムードである。

岡健の心酔ぶりはひどいもので、竜馬の持ちものまで真似をした。すこしのちのはなしだが、岡健は竜馬のまねをし、

「一剣、ついに頼るべからず」

と、自分の長大な刀をすて、竜馬のような短い大小をさした。そのことを竜馬にほめてもらいたさに語ると、竜馬はふところから、一冊の本をとりだし、

「おれはこれさ」

といった。それは万国公法（国際法）という当時日本にはめずらしい法律書である。

「剣に頼らず、法律と常識に頼れるような日本にしたい」

というのが、竜馬の真意だったのであろう。岡健はその後、読めもせぬ万国公法を懐ろに入れて歩いていた。ついでながらこの挿話は岡健だけでなく檜垣《ひがき》清治と竜馬のあいだにもある。


だから、千葉道場には、土佐藩士がどんどん訪ねてくる。

竜馬がめあてである。

「竜さん、当道場も、ひさしを貸して母屋《おもや》をとられたようなかっこうだよ」

と、重太郎がうれしそうにいった。竜馬の人気があがってくることが、この人のいい若旦那にはうれしくて仕様がないらしい。

そういう背景があっての、正月の年始あいさつの席でのことである。

「長州人はけしからん」

と、土佐の若い連中が竜馬に訴えた。

竜馬はおやおやと思った。世上、そろそろ勤王三藩といわれるようになってきている

薩長土のうち、仲のわるいのは薩長だけかと思ったが、土佐も長州に一物もちはじめたらしい。

「何かあったのかえ」

竜馬は寝ころんだまま、年始をうけているのである。行儀ということが、まるでない。

「ありましたとも」

と、みな、口々に事件を語りはじめた。

事件というのは、竜馬が藩を脱けているために知らなかったが、わりあい旧聞である。

一ト月半ほど前のことだ。文久二年十一月十二日。

江戸桜田の長州藩邸にいる同藩の過激有志の旗がしら高杉晋作《しんさく》が、

「薩摩藩が、生麦《なまむぎ》で夷人を斬って天下の攘夷のさきがけをした。長州藩たるものがそれに負けていてはならぬ」

と、同志に説いた。高杉のいうところでは薩摩藩に勝つにはもっと大きなことをやらなければだめだ。それには、某国の公使がこんどの日曜日に金沢（いま横浜市）まで散歩に来るそうである。

「それを斬る」

と、高杉はいった。高杉の理論では「因循姑息《いんじゅんこそく》な幕府をして攘夷に踏みきらせるには、そういう刃傷事件をおこす以外、手がないのだ」というのである。倒幕思想をもつ高杉にすれば、これはこれで奇策であろう。

「そいつはおもしろい」

と手を打って賛成したのは、高杉とともに吉田松陰門下の二つの玉といわれた久坂玄瑞、品川弥二郎、山尾庸三、寺島忠三郎、有吉熊次郎、大和弥八郎、白井小助、赤根武人、長嶺《ながみね》内蔵太《くらた》、井上聞多《もんた》である。これらのうち維新まで生きのこって栄爵についた者もあるが、ほとんどは幕末の風雲の中で命をおとした。

さてその十二日の夜、一同は、神奈川の下田屋に集合した。あすは暁に討って出、金沢におもむこうというのだ。

その密計をきいたのは、土佐の武市半平太である。武市はかれらと同志ではあるが、つねに正論主義の男で、そういう子供だましの攘夷を好まなかった。

「これはかえって、真の攘夷を誤る」

とみて、土佐の御隠居容堂公にまで密告した。容堂公から長州藩の世子毛利定広に話してもらい、高杉らの暴発をとめようとしたのである。

長州の世子はおどろき、みずから大森の梅屋敷まで出むいて、とにかくかれらを説得しおもいとどまらせた。——が。

事件は、おもわぬ事件をよんだ。

「まず、大事にいたらず、祝着であった」

と、高杉らの暴発を身をもってとめた長州藩の若殿様定広は安堵し、高杉ら暴発組一同に「御酒下され」があった。
（世子に出馬されてはどうもならん）

高杉らは、にがい顔で酒をのんでいる。

場所は、大森の梅屋敷である。当時江戸の近郊の梅林にはこういう茶亭が多かった。とくに亀戸《かめいど》の梅屋敷、それにこの蒲田《かまた》郷大森の梅屋敷が、もっとも有名だった。梅林が、そのまま庭になっている。しかしまだ花には早すぎる。

そこへ周布政之助。

前に、この男が薩摩藩士の前で剣舞をやって大騒ぎになったことを書いた。藩の重役でありながら、高杉らの暴発組の親分であり、後援者であった。頭もよく度胸もある男なのだが、しかしおだてに乗りやすく、気が短く、おっちょこちょいな点、名門の子らしい欠点は、みなそなえている。

それに、酒癖がわるい。

周布は江戸屋敷から馬をとばして梅屋敷にかけつけ、酒席には遅れて出席した。すでに酒が入っている。

さらに飲んだ。

「高杉、仕損じたな」

呵々《かか》と笑い、世子定広にむかって、

「若殿様の御前なれど、高杉らの壮挙、仕損じたのはかえすがえす惜しいことをいたしました。洋夷《ようい》の一人や二人を叩っ斬って幕府を慄えあがらせてやればよいのでござる。神奈川、横浜の洋夷どもも、清国《シンこく》でやりおるふるまいと同然、日本人を虫ケラのようにしか思うておらぬ。長州武士の白刃をあびれば、すこしは眼が醒めるでありましょうに」

といった。暗に、高杉ら過激連中の機嫌もとっている。長州のばあい、重臣に周布のような男がいたから、高杉らは、いよいよ過激粗暴になってゆき、ついには幕末、藩は暴走に暴走をかさねることになるのである。

若殿も、この周布の暴言癖にはもてあまして、

「政之助、話はまたいずれ」

と立ちあがった。

梅屋敷の門前には、土佐藩士が四人いる。暴発をおとめなされ、と長州侯へ忠告したのは、土佐の御隠居の容堂である。それで責任上、長州の世子に力添えをさせる、という意味で、容堂はこの四人の土佐藩士を梅屋敷に派遣しておいたのである。

酔っぱらいの周布政之助は、防寒のため宗十郎頭巾《ずきん》をかぶり、馬上、戛々《かつかつ》と門を出てくると、そこに裃《かみしも》をつけた土佐藩士がいる。

「やあ、土州のお歴々か」

周布は無礼にも馬上でいった。じつのところ、事をぶちこわしにした容堂の態度は腹にすえかねている。

「お手前たちの御主人の容堂公は、天下の賢侯といわれ、ご自身でも、尊王攘夷をお口になさる。しかし実際のご行動には不審あり。どうやら、尊王攘夷をオチャラカシなされているのであろう」

言いおわるのを待たず、土佐藩士山地忠七がぱっと白刃をぬいた。

剣をぬいた山地忠七。

「周布どの、料簡ならぬ。馬をおりろ」

とさけんだ。この若者、片眼である。

容堂公の御側勤《おそばづとめ》で、このとき二十二歳。うまれつき豪胆で、片眼が一倍ひかっている。

高知城下小高坂《こだかさ》越前町に屋敷を拝領する百五十石の上士の家にうまれた。

十三歳のとき、隣り屋敷の子とあそんでいて、誤ってそぎ竹で眼をついた。眼球がつぶれ血がふきだして半顔を染めたため、泣き叫んで屋敷にもどったところ、母親が、

「武士の子にうまれ、わずか一眼をうしなったために泣くことがありますか」

と叱りつけた。

もう泣かなかったという。

かれはのち、鳥羽伏見《とばふしみ》で土佐藩の小隊司令として戦い、維新後元治《もとはる》と名をあらためて陸軍少佐。

日清戦争では、東京第一師団長として乃木希典《のぎまれすけ》らをひきいて旅順要塞をわずか一日でおとし、独眼竜《どくがんりゅう》将軍の名をあげた人物である。

「主人の」

と、山地忠七はいった。

「悪口をきいた以上、貴殿を討ち果たさねばこの場は去れぬ」

他の三人の土佐藩士はみな抜きつれた。小笠原唯八、林亀吉、諏訪《すわ》助左衛門。

これには、長州藩きっての乱暴者の高杉晋作もおどろいた。ここで紛争をおこしては、長州・土州のせっかくの友藩関係がぶちこわしになってしまう。

高杉は機転のきく男だ。それもとっさにきく。しかもつねに、奇略である。

山地ら土佐藩士にむかい、

「おおせのとおりだ。弊藩の重臣とはいえ、周布政之助の不敬、拙者もゆるせぬ。貴殿らのお手をわずらわさずとも拙者の一刀で成敗《せいばい》つかまつるわ」

というなり、長剣をぬいて周布に斬りつけた。

が、奇略である。本気で斬るつもりはないから、刀の切先が、馬の尻にあたり、わずかに傷をつけた。

おどろいたのは、馬である。

嘶いて前脚をあげたかとおもうと、周布を乗せて一散に駈け去ってしまった。

「逃げるか」

と忠七、駈けだそうとするのを、土佐側の年長者の小笠原唯八が抱きとめ、

「きょうは君命をおびた大事の使者としてわれわれは来ている。復命のうえ、周布を討とう」

となだめ、一同、江戸鍛冶橋藩邸に駈けもどった。

容堂は、脇息《きようそく》にもたれている。当時、これほど賢明な大名はないといわれた男だが、この殿様の欠点は、自分自身の利口さ、度胸に陶酔しきっているという点だ。

「馬鹿者」

と、どなりつけた。

「君辱《はずか》しめらるれば臣死す、という義を知らぬのか。なぜ周布政之助をその場で討ち果たさなんだ」

四士、ただちに桜田の長州藩邸にむかい、周布を討つために駈け出した。

山地忠七ら四人の土州藩士が、刀のコジリをあげて鍛冶橋藩邸の門をとびだしたとき、

「おれもゆく」

と、さらに五人の若侍が加わった。その重《おも》だった者は鏡心明智流《きようしんみようちりゆう》の名手本山只一郎。

「あわや、遅れたるか」

と、みなよりすこしあと、いまひとりの若侍が門を飛びだした。乾退助《いぬいたいすけ》である。

少年のころ、城下では喧嘩退助といわれた若者だ。高知中島町に屋敷をもつ三百石の上士の子で、早くから「上士の子であれほど乱暴なやつはない」といわれた。例の暗殺された吉田東洋が参政になったとき若くして免奉《めんぶ》行《ぎょう》になり、さらに東洋の死後は、江戸に出て容堂の御側用人になった。

先祖は、甲斐《かい》武田信玄麾下《きか》の名将板垣駿河守信形《するがのかみのぶかた》であるといわれ、それを誇りにして大いに軍事に関心をもち、後年、官軍の東山道軍を指揮して会津の若松城を陥した人物である。

元来が戦さ上手な男だったが、明治になってからは（板垣退助と改名）官をすてて野《や》にくだり、自由民権思想を唱え、自由党を組織してその総理となった。明治十五年、岐阜で遊説《ゆうぜい》中、金華山《きんかざん》下で刺客に刺されるや、

「板垣死すとも自由は死せず」

という伝説的な名文句を残した男だ。大正八年、八十三で歿。

退助は上士の出だから、郷士出身の竜馬とはのちのちまで薄縁であったが、ひどく竜馬を尊崇し、晩年、高知における坂本家の縁者がなにか頼みごとがあって上京したとき、退助は入院中で、面会謝絶の札をかけていた。

が、竜馬の縁族ときくや、すぐ病衣のえりをととのえて請《しょう》じ入れ、寝台の上に正座し、

「板垣退助こんにちあるは、坂本先生のおかげでございます」

といったという。竜馬と縁が薄かったはずであるのに、どういうつもりであったので

あろう。

明治人というものは、この会話のような雰囲気を好んだものかもしれない。

とにかく、殿様の御側用人である退助までが、外桜田《そとさくらだ》にむかって奔《はし》った。このままでゆけば、時ならぬ長土戦が、江戸でおこるであろう。

容堂、藩邸で待っている。

他藩の重役を斬りに行かせたのだから、この殿様もかわっている。鯨海酔侯《げいかいすいこう》といわれたほどの酒ずきな男で、

（いまごろはみなどこまで行ったやら）

と、杯をかたむけている。

容堂は、長州の過激派志士が、大きらいである。他藩ながら、この機会に、土佐っぽの武勇をもって鉄槌《てっつい》を加えてやれ、という気持だ。もっとも長州藩とは、さきごろ縁談が成立したばかり（長州藩主敬親の養女喜久姫が、土佐の若い藩主豊範のもとに輿入《こしい》れする）なのだが、利かん気の容堂は、平気である。

いや、酔狂だけではない。容堂自身、長州藩の重役、周布政之助を憎んでいる。

土佐藩士の一群が、外桜田の長州藩邸へ走っているあいだに、いますこし余談をつづけよう。

余談とはいえ、無駄話ではない。この長い物語にとって、ゆくゆく大事な役割りを帯

びてくることだ。

土佐の御隠居の容堂。

たしかに傑物だが、この人は維新では時勢にブレーキをかける役目しか果たさなかった。学殖があり、勤王思想家である。が同時に熱烈な佐幕派でもあった。こういう政治的立場を、当時の流行語でいえば「公武合体派」という。公とは朝廷、武とは幕府。両者仲よく国を運営してゆこうという常識論である。

あるとき、長州毛利家と土佐山内家との縁談がととのったので、その祝いという意味で、容堂は、長州藩邸へ招かれた。

酒肴《しゅこう》が出る。

長州側の出席者は、若殿様の毛利定広をはじめ、重臣の周布政之助、家中きっての過激派の久坂玄瑞、山県半蔵らである。

容堂は、自分の頭脳と度胸を自慢する男だから、

「三百諸侯はあれども、人といえば、まず一橋慶喜（のちの将軍）、越前侯松平慶永《よしなが》（春嶽・のちに幕府の政事総裁）、それにわしか」

と、いった。酔っている。

人が馬鹿にみえて仕様がない、というつらだましいである。それに容堂は、長州藩の最近の藩風を好かなかった。高杉、久坂、桂といった中級武士が、家老をあごで使い、藩の大事を動かしている。下剋上《げこくじょう》である、というあたまがあった。

かつて容堂は、瓢簞《ひょうたん》が逆立ちした絵を描いてみせ、長州はこれだ、といったことがある。下が上になっているというのである。

容堂にもそんな感情がある上、周布らは周布らで、

「勤王を看板にかけた公武合体主義こそもっとも悪質だ」

という頭がある。

宴が進むにつれ、容堂は久坂玄瑞を指さして、

「そちは詩吟が上手じゃという。ひとつ聴かせてもらえんか」

といった。態度傲岸《ごうがん》。

久坂はむっとしたが、自藩の若殿様も、

「おめでたい席である。おおせに従うよう」

とすすめたので、やむなく、周防国《すおうのくに》の勤王僧月性《げっしょう》の憂国の詩を吟じはじめた。

言々、火を吐くような攘夷勤王の詩で、慷慨家《こうがいか》の久坂が吟ずると、堂内に電光がはためき、風雨がおこるかと思われるほどすさまじくきこえる。やがて、

「われは方外《ほうがい》(俗外)に居りてなほ切歯《せっし》す。廟堂《びょうどう》の諸老(政界の実力者)なんぞ遅疑する」

と吟じきったとき、久坂にわかに立ちあがり、容堂を指さし、

「公もまた廟堂の諸老の一人でござる」

と、席を去ってしまった。他家ながら大名に対し、これほどの無礼を働いた例は三百年なかったであろう。

容堂、顔色をかえた。

が、おとなげないと思い、すぐ話題を変えて談笑したが、周布、久坂ら長州の過激派を憎むことといよいよはなはだしくなった。

「周布を斬れ」といった言葉には、そういう感情もある。

長州藩邸では、大騒ぎになった。

「やはり、来たか」

という、そんな表情である。長州《こっち》の周布政之助がわるいのだから、どうしようもない。

「鄭重《ていちょう》にお通しするのだ」

と、長州勤王派では最年長のひとりである来島又兵衛が、取次ぎの士にそう指図した。

来島。四十七歳。

利口者の多いいわゆる長州型のなかでは、めずらしく豪放胆大な男で、戦国時代の武者絵からぬけ出してきたような骨柄である。

余談だが、かれが東奔西走して家庭をかえりみなかったため、つねに妻に苦情をいわれることが多かった。後年、兵をひきいて長州を発し、いわゆる蛤御門の大騒動をおこしたときも、出発にあたって妻に、

「こんどだけ。こんどだけだ。以後はおとなしくするから」

と頭をかかえて頼んだという。豪傑肌ながら愛すべき人柄だったのであろう。しかし、

その蛤御門ノ変で、馬上真っさきに突入して死んだ。

「私が、来島です」

と、その豪傑の来島が、山地忠七ら若い土佐藩士の面々にむかい、平身低頭してわびた。

「周布は酒乱でござる。土佐の御老公に対する失言、万死に値いしまするが、なにぶんにもあのような人間にて……」

「いや」

と山地忠七がさえぎった。

「周布殿がいかようなお人柄であろうとも、われわれにはかかわりがござらぬ。また、周布殿を責めに参上したのでもござらぬ。ただ拙者どもの眼の前で、主君が辱しめられたること、この一事でござる。主はずかしめらるれば臣死す、と申す。われわれ、周布殿を討ち果たした上で切腹つかまつるつもり」

「ごもっとも」

来島は頭をさげるほかない。

「とまれ、周布殿をこれへ。それとも、御不在でござるか」

「在邸いたしております」

と、来島は正直に答え、

「しかしながら、このたびの不祥事、私闘ではこれなく、尊藩、弊藩の大事にかかわることゆえ、拙者一存では参りませぬ。世子（若君定広）にも相談つかまつって」

と、土佐側をいったんはひきとらせた。

若殿の定広は大いに驚き、容堂と仲よしの越前福井藩主松平慶永に調停を頼んだりしたが、ついに若殿みずから土佐藩邸におもむき、容堂に会い、大長州藩の世子が、下げでもの頭を下げ、

「この上は、周布政之助をわが手で手討にいたしまする」

と誠意をおもてにあらわしていった。

「いや、この容堂、なんとも思ってはおりません。ただわが家臣どもには武士の作法があり、さように強談《ごうだん》したまででござる」

と、一応は釈然とした。

薩長土三藩というのは、なお戦国の余風を残し、武士の気性が荒い。その上にたつ大名家老でさえ、餓鬼大将のように意地っぱりである。右はその一例。

「ああ、お前《まん》が山地忠七か」

と、竜馬は、年頭あいさつの群れのなかから、片眼の若者を見つけだした。

「そうです」

と、山地はいんぎんに頭をさげた。家中でなら、山地家のほうが家格は上である。竜馬が浪人の身なればこそ、えらそうな口もきけるというものだ。

「土州と長州との喧嘩話、面白かった。せいぜい喧嘩をすることだ」

「え？」

「薩州と長州も犬猿《けんえん》の仲だという。みな、小さな意地を立ててはいがみあっている」

「お言葉ながら」

と、山地忠七、ぎろっと片眼をむいた。

「小さな意地ではありませんぞ。眼の前で主君の悪口をいわれ……」

「わかった」

「し、しかし坂本先生」

「もうええ。わしァ、薩州も長州も土州も煙のごとく消えてしまうニッポンを考えちょるんじゃ」

「煙のごとく？」

「幕府もな」

あっ、とみな声を呑む。倒幕という意識はまだ土佐藩の藩士には薄かった。

「三百諸侯も消える」

ぱっ、と竜馬は煙の出る手つきをした。

「土、土佐藩が消えるなど……」

は、信じられぬことだ。信じてはならぬことだし、土佐藩士にとっては、二十四万石の土佐藩だけが世界ではないか。この気持は、三百諸侯の藩士も同様のことである。

人間の意識とは、その環境から容易に、いや絶対といっていいくらい、飛躍することは不可能なものである。

「おらァ、ニッポンという国をつくるつもりでいる。頼朝《よりとも》や秀吉や家康が、天下の英雄豪傑を屈服させて国に似たものを作った。が、国に似たものであって、国ではない。源《げん》家《け》、豊臣家、徳川家を作っただけじゃ。ニッポンはいまだかつて、国がなかった」

「先生、それは歴史の読みちがいじゃ」

と、山地忠七がいった。この男は腕白だけでなく、学問もある。

「いや、竜馬流の読み方ではニッポンは国はなかったわい。日本だけでなく、イタリアもプロシヤも、ほんの最近まで国はなかった。諸君は、イタリアを知っちょるか」

勝の受け売りである。

「知っちょるまい」

竜馬は大得意で、イタリア史を講義しはじめた。イタリアも諸小邦が割拠し、たがいに利害を争いつつ、オーストリアやフランスにしてやられてきた。いま、ガルバルジ、マッチニ、カヴールといった志士が立ちあがってイタリア統一運動を起こしている。

「日本とおなじじゃ」

と、竜馬はいった。

「しかしガルバルジも、また米国を興したワシントンも、家康ではないぞ。国家を自家の私有物にしようという考えはないぞ。坂本竜馬は、日本のワシントンになるんじゃ。お前らもそうなれ。みんなでそうならぬと、日本はつぶれるわい」

海へ

小豆粒《あずきつぶ》を両掌《りょうて》いっぱいに盛りあげて、ぱっと座敷に撒《ま》きあげると、疎密《そみつ》さまざまなすがたで、ちらばる。

ひとの一生もそうだ。事柄が、ばかにかたまるときがある。竜馬のこの時期がそうだ。

(いそがしいのう)

と、竜馬はうまれてはじめておもうようになった。

まったく、この時期の竜馬の日常を、日記風に追っておれば、この小説は十年経ってもおわらないかもしれない。

事柄が重なっている。土佐藩邸の若侍のあいだに出来つつある「竜馬講」のことももっと書きたいし、しだいに緊迫してきた天下の情勢についてもさらにくわしく触れたいし、勝海舟との触れあいも、もっと濃密に書かねばならない。

それにさな子のことも。

さな子がどんな気持でこの時期の竜馬をみているか、小説家としては、もっと触れたい。

が、事柄が、重なりすぎている。

「お前《まん》の筆では追っつかんか」

と、竜馬に嗤《わら》われそうだ。

「おれも」

と、竜馬は筆者にいいたいにちがいない。

「もうかつてのようにぼやぼやしちょらんから、しっかり書いてくれんとこまる」

筆者は、竜馬に弁解する。

「だいたいお前さんは、いままで昼行燈《ひるあんどん》のようにぼんやりしすぎてきたよ。その調子で筆のほうもゆっくりやってきたのだが、どうもこの時期になって、あれやこれや、事柄が多くなってきた。一日のうちに、三つも四つもの重大な事柄ができてきている。もはや、以前の悠長さではお前さんに追っつけなくなってきた」

かといって、竜馬が急にせかせかと忙しく立ち働きだしたわけではない。竜馬は、依然として竜馬である。

しかし、竜馬をめぐる周囲が、竜馬をして活気づかせはじめた。

「運がむいてきたな」

と竜馬にいえば、竜馬は怒るであろう。

「人間、運などがあるものか」

と。

竜馬は、

「人生は一場《いちじょう》の芝居だというが」

と、かつていったことがある。

「芝居とちがう点が、大きくある。芝居の役者のばあいは、舞台は他人が作ってくれる。なまの人生は、自分で、自分のがらに適《かな》う舞台をこつこつ作って、そのうえで芝居をするのだ。他人が舞台を作ってくれやせぬ」

どうやら、竜馬がその上で芝居をすべき舞台が、そろそろ出来あがりつつあるらしい。

後年、伝記作者がこの時期からの竜馬を、

「坂竜飛騰《ばんりようひとう》」

といった。坂本竜馬という竜が、にわかに雲を得て騰《あが》るという意味である。

さて、この物語はその飛騰の寸前。

ある日、勝の屋敷へゆくと、

「おい、軍艦で大坂へ連れていってやろう」

といった。足もとから鳥がとび立つような話で、乗艦はあすだという。

（そいつはありがたい）

竜馬は、飛びあがりそうな表情をした。

「お前さんは物喜びをするたちだねえ」

勝も感心して、

「こっちまでうれしくなるよ」

といった。勝のみるところ、竜馬というのはじつにとくな人間で、平素は土佐弁でいう無愛想《すぼこ》いつらつきのくせに、いったんよろこぶとなると、相手の心にまで滲《し》みとおるようなよろこびかたをする。

「とくだよ。ついまたこっちも、また喜ばせてやろうという気になる。まあまあとにかく軍艦の名前は順動丸《じゅんどうまる》だ。いま品川の沖でイカリをおろしている。今夜のうちに築地の操練所までまわるそうだから、あすの夜明け前に操練所の岸壁まで出ておいで」

「そうします」

竜馬は千葉道場へとんで帰った。

軍艦順動丸については、竜馬はよく知っている。なぜといえば、ほんの数カ月前の九月、幕府が英国から十五万ドルで買ったばかりの新造艦で、勝が幕府代表として横浜沖で試運転に立ちあったからだ。

図体《ずうたい》は四百五トンだから咸臨丸《かんりんまる》よりもだいぶ大きく、力もつよくて三百五十馬力もあり、なによりもめずらしいことは鉄張り船であることだ。

軍艦、といったが、厳密には軍艦ではなく、用途は運輸船である。しかし汽船としては世界的水準のものであるには相違なかった。

竜馬は千葉道場に帰ると、さいわい寝待ノ藤兵衛が遊びにきていた。

「藤兵衛、すこしそこで待っちょれ」

と、大いそぎで道場へゆき、門人にけいこをつけている若先生の重太郎の肩をたたき、

「ちょっとわしの部屋へ来てくれ」

といって道場を出た。

出口に、さな子がいた。

「なにをあわてていらっしゃいます」

「ちょっと、部屋で相談があるんじゃ」

「わたくしも行ってよろしゅうございますか」

「結構ですとも」

そこへ鍛冶橋の土佐藩邸から、近藤長次郎（上杉宋次郎）があそびにきた。

長次郎については、以前にもときどき登場したから、くわしくは触れない。竜馬はこどものころからこの色白の若者を知っている。

城下の商家の出で、非常な秀才であり、例の河田小竜について蘭学もまなんだ。このちずっと竜馬につき従うのだが、のちに高杉晋作に会ったとき、高杉が、「一見致し候ところ、すこぶる才子のやうに思はれ候」と書いているところからみても、目から鼻にぬけるような才子だったのであろう。ただ「百才あって至誠足らず」（竜馬の近藤に

対する評）というところもあった。

「おお、長やんか、よいところにきた」

と、竜馬はそれらを自室にあつめ、

「お前《まん》らをあす軍艦にのせてやるから、そのつもりで支度をしておくれ」

といった。

勝も、おどろくだろう。竜馬ひとりを便乗させてやるつもりでいるからである。

「竜さん、おれを船乗りにする気かえ」

千葉重太郎は口をとんがらせたが、しかし英国製の鉄張り汽船に乗るという魅力はすてられないらしい。

「まあ、乗ってやるよ」

と、恩に着せた。

寝待ノ藤兵衛はもう、恐縮してしまっている。泥棒の分際で幕府の軍艦奉行並と同乗するのだからこれは破天荒《はてんこう》なことだろう。

近藤長次郎は、むろん大よろこびだ。

ただささな子が大いそぎで立ちあがってゆくので、兄の重太郎がよびとめた。

「どこへゆくんだ」

「髪を直します。男になるつもりです」

「おいおい」

重太郎は、きもをつぶしたらしい。

「お前も乗る気かえ」

「竜馬様が乗れとおっしゃいました。さな子も、一度乗ってみたいと思っておりました」

「よせよ」

兄貴は、こわい顔をした。

「海が荒れると、お前なんざ真青になるぜ」

「そうでしょうか」

さな子の眼が、きらきら光っている。女ながら北辰一刀流の免許皆伝になったほどの娘だから、軍艦ぐらい何とも思っていない。

「竜さん、どうする」

「そうだねえ」

と、竜馬はずるい。返事をあいまいにしてにやにやしている。

結局、さな子は置きざり、ということになった。貞吉大先生が出てきて、

「馬鹿、女だてらに」

と一喝したからである。

その翌日、まだ夜明けには一刻《にじかん》はあろうという刻限に、軍艦奉行並海舟勝麟太郎は、

赤坂氷川町の屋敷を出た。

馬上。

口取りと若党が一人。マルに剣花菱《けんはなびし》の定紋《じょうもん》の入った提灯で先導しつつ、かつかつと進んで行く。

こんどの航海は、幕末政治史上、重大なものであった。

老中小笠原長行《ながみち》を乗せてゆく。

目的は、幕府閣老による京摂《けいせつ》の海防（大坂湾にもし外国艦隊が侵入したばあいの沿岸防備）視察ということであった。

いや、これは視察団の先陣で、つぎは将軍の後見職一橋慶喜、幕府の首相というべき政事総裁松平春嶽（越前福井侯）らがゆき、最後には将軍家茂《いえもち》が上洛することになっている。

朝廷の、

「攘夷御督促」

に押されて、ついに江戸の権力中枢がぜんぶ京へあつまることになるのだ。当時、京都朝廷は極端な攘夷主義であり、一方、諸外国の公認政府である幕府は、各国に強要されて諸条約を結び、なしくずしの開国主義をとっている。

とにかく攘夷ができるかどうか、その軍事上の調査が、老中小笠原長行と軍艦奉行並勝海舟の役目なのだ。

その順動丸に竜馬も乗る。

岸壁は真暗である。

潮騒《しおさい》の音のなかで、竜馬は、千葉重太郎、近藤長次郎、寝待ノ藤兵衛とともに勝の来るのをまっていたが、やがて、

「あっ」

と、藤兵衛が、遠い蹄《ひづめ》の音をききわけた。さすが稼業がら、耳がさとい。

「いらっしたようでございます」

「そうか」

竜馬は、腕を組んでいる。

ほどなく、闇のむこうに提灯の灯がうかんだ。竜馬は近眼だから、それがみえない。

「竜さん、参られたようだ」

「それなら、提灯をふってくれ」

「よしきた」

と、重太郎は、夜風のなかで、千葉家の有名な月星紋の入った馬乗提灯をたかだかとあげた。

「おお」

と、勝は、馬からおりた。

「多勢だなあ」

と、さすが勝もおどろいていたが、顔ぶれをみていよいよあきれた。

「君はおれを殺しにきた攘夷屋の剣術使い」

と、重太郎を見、さらに寝待ノ藤兵衛をみて、

「泥棒まで軍艦にのせるのか」

勝はちょっと憂鬱そうだったが、これも面白かろうと、こんどは近藤長次郎をみた。

「君だけはまともな顔をしている。竜馬の乾分にしちゃ出来すぎた顔だ」

「学者ですよ」

と竜馬が紹介すると、勝はふきだして、

「竜馬が学者だというなら、たいした学者でもあるまい」

そう笑っているうち、ランチの迎えがきて一同、順動丸に乗船した。

ほどなく、老中小笠原長行が乗船した。唐津《からつ》（いまの佐賀県唐津市）六万石の城主の世子で、世子のまま幕府の老中になった。小笠原氏といえば、幕府の譜代大名のなかでもきっての名家で、その祖は新羅三郎《しんらさぶろう》源　義光《みなもとのよしみつ》から出ており、おなじく源氏を称している徳川家などにくらべると、その系図ははるかに正しい。

長行はこのとき四十一歳。

この年齢でなお、

「若様」

である。世間では雅号をとって明山公子《めいざんこうし》とよび、早くから賢才をうたわれ、竜馬の齢《とし》でいえば四つの年の天保九年に江戸に移り、ひろく学者、論客、文人とつきあった。のち抜擢《ばってき》されて老中《ろうじゅう》になったが、世子の身分のまま幕府の閣僚になったのは、あとにもさきにもかれだけしかいない。

長行は、家臣、幕府の大目付、外国奉行、通訳などを連れて乗っている。幕府の一部がそのまま船に乗ったようなものだ。

そのほか、軍艦操練所、講武所の連中が百五十人も乗り込んだ。

幕臣以外では、竜馬ら四人だけだ。それが悠然と甲板を遊歩しはじめたとき、はるか房総半島の山々が紫に色づき、やがてみごとな太陽がのぼりはじめた。

「立派な船だなあ」

竜馬は、甲板を歩きまわりながら、何度も大声でひとりごとをいった。

想えば。

と竜馬は感傷的にならざるをえない。嘉永六年、十九歳、はじめて江戸に出たとき、米国海軍のペリー提督が東洋艦隊をひきいて浦賀へきた。上下驚きあわて、天下の志士はむらがって起《た》ち、攘夷論をとなえた。

幕府の風雲はこの嘉永六年六月、ペリーの黒船艦隊の来航からはじまるのである。

(余談だが徳川幕府が三百年ちかくつづいたのは別に徳川家の功績ではない。世界史的な理由による。先進各国が産業革命をおこし、蒸気機関を発明し、それを船にとりつけて遠洋航海に堪えるようにした。それがはしなくも、いくつもの大洋を越え極東の小島国に来れるようにまでなった。もしかりにペリーが徳川中期に来たとせよ。やはり西国諸藩は立ちあがって幕府を倒し、京都朝廷を擁して統一国家をつくったであろう。ペリーにつづく諸外国の遠洋艦隊は、日本列島にコレラ菌をもちこんで、幕末、この国際的な伝染病のためにずいぶん罹患者《りかんじゃ》が出たが、同時に、日本人に世界の中の自分というものを意識させた。これはもう、発狂にちかい意識であった。それが開国と攘夷論にわかれた。この二つの激突が幕末の血の風雲史になるのである）。

竜馬は、偶然、いやじつに運命的なことに十九歳江戸出府の年に、この黒船の来航を、そのふたつの眼でみた。

十九歳といえば、いまでいえば大学に入学した年であろう。田舎から出てきた若者が、はじめて早稲田か東大に入ったことをおもえばよい（竜馬ならとてもそういうばかばかしい受験制度をもった学校には入れっこないが）。

とにかく、自分と自分の周囲に、はじめてめざめた齢である。

黒船の印象は、鮮烈であった。

その黒船に竜馬はいま乗っている。甲板を歩いている。涙がにじんできた。頬をつぎつぎと流れ落ちてきて、どうも始末にこまった。

（乗りたかった）

——この黒船に。

（しかしながら）

と竜馬はおもうのだ。

（これがおれの船であったらなあ）

幕府の船である。

気に入らなかった。

竜馬艦隊を持つということが、竜馬の尽きない夢であった。こういう男だが、この点だけは執念ぶかい。恋に似ている、などという程度のものではない。男子の志は、簡明直截《ちょくせつ》であるべきだと、竜馬は信じている。

船。

これのみが、生涯の念願である。船をもち軍艦をもち、艦隊を組み、そしてその偉力を背景に、幕府を倒して日本に統一国家をつくりあげるのだ。

独創的な討幕方式である。

薩摩の西郷も、長州の桂も、土州の武市もこれは思いうかばないであろう。人間、好きな道によって世界を切り拓《ひら》いてゆく。竜馬はそんな言葉を残している。

船。

ふねに托された竜馬の夢は大きい。

勝は、竜馬のために士官室をとってやったが、これが小さな事件になった。

「勝さん、それはいけませんよ」

といったのは大目付の某であったという。

某のいうのは当然であった。

船には、大公儀の老中をはじめ、幕府の高官が多数乗りこんでいる。高官でなくても、御目見得《おめみえ》以上の幕臣が多い。御目見得以上というのは、武官でいえば高等官のことである。士官室や上等な船室の数がすくなくて、それらの半分も収容しきれないのだ。そういう事情なのに、

「どこの馬の骨ともしれぬ素浪人を士官室に入れることがあるか」

と大目付某は、言外にそんな感情をこめているのである。

「そうかえ」

勝は、いかにも相手をばかにしたような小憎ったらしい表情《かお》をした。こういうところが、幕閣のなかで勝がきらわれてきたところだ。賢君といわれた十五代将軍慶喜でさえ、勝の偉材であることをみとめつつも、きらいぬいた。勝という男は、生涯私心で公的な行動をしたことが一度もなかった人物だが、ただ、

——相手が馬鹿にみえて仕方がない。

というところがあった。

勝の心中はこうである。

（お旗本の殿様連中とても、里芋《さといも》同然の頭にまげを結いあげているだけじゃないか。それよりも無冠無禄ながら、天禄ある者として竜馬を遇してやるべきだ。遇してやればやるほど、ああいう男は大きくなるものだ）

勝は、人物とみると偏愛のくせがある。しかも勝の批評眼があまりにもきびしすぎたために、かれが、

「人物」

と認めたのは、明治三十二年七十七歳で歿するまでのあいだ、数人にしかすぎなかったが。そのほかの人物は里芋あたまの、

（馬鹿）

である。

「じゃ、勝手にしなさいよ」

勝は、ふてくされた。

竜馬らは甲板にいて、そのいきさつを知らない。ただ、船室を、船底の大部屋に割りふられた。当然なことだ。大部屋は、御目見得以下の幕臣、または老中の家来、などが、幔幕《まんまく》を張り、いくつにも仕切って起居することになっている。

「いや、甲板でいいです」

と、部屋割りの役人をしりぞけた。竜馬は無造作にみえて誇りのつよい人間である。たしかに身分は素浪人。

うまれは土佐の郷士。低い。低いからこそ、階級別に割りふられた各級船室に階級をつけられて収容されるのが堪えられなかった。

「重さん、甲板の短艇《ボート》の中で寝ようや」

重太郎は、結構だとも、といった。重太郎は剣の名門千葉家の御曹司《おんぞうし》であり、鳥取藩に召されて上士の処遇をうけている。しかし竜馬のそばならどこでもいい、という人のいい若旦那であった。

順動丸、波濤《はとう》を蹴たてはじめた。

竜馬は、毎日、船の各部門をまわっては、

「お前さん、何しちょられます」

と、しつこく訊ねた。

「ちょっとそれを貸してたもらんかの」

そんなことをいいながら操舵室《そうだしつ》で船をあやつったりした。

幕府士官たちは風来坊の竜馬を白眼《しろめ》でみていたが、実際に船を運用している水夫や火夫たちは、妙に竜馬に親切だった。

かれらの大半は、咸臨丸以来の海のベテランであった。

咸臨丸が渡米するとき、幕府は、おもに瀬戸内海の塩飽《しあく》群島（いま香川県に所属）の漁夫を徴用して下級船員につかった。

塩飽群島は、香川県（讃岐《さぬき》）丸亀《まるがめ》市の沖あいにあり、島の数は、大きなものだけでも十六、七、おもな島名は、本島《ほんじま》、広島、与島《よしま》、高見《たかみ》島、粟《あわ》島などである。

歴史はふるい。

平安時代から塩飽海賊の名で知られ、源平時代には水軍として活躍し、足利時代には倭寇《わこう》となって朝鮮、シナ沿岸から遠く南方海域にまで出没して怖れられた。性、勇武、しかも、

「操船の術、塩飽の人をもって最精となす」

といわれている。

幕府は軍艦、汽船を購入するごとに塩飽人を採用して水夫、火夫にしたから、いわばこの海賊の子孫たちは、日本の近代海運史にとっても草分けの船員といえるだろう。とくに操舵手《そうだしゅ》をつとめる「泊り浦の大助」（明治後石川姓）は、募兵水兵の名物男で、竜馬にひどく好意をもち、

「なんでも教えて進ぜまするぞ」

と、なかなか親切だった。

この泊り浦の大助は、かつて咸臨丸で米国へ行った男で、同僚からは、「悪《わる》大助」とあだなされるほどの乱暴者で、そのうえ大酒のみだった。逸話が多い。サンフラン

シスコの埠頭《ふとう》でスペイン船の船員十人と大喧嘩し、数人を海へたたきこんで、

「日本の大助を知らんか」

といったという。また咸臨丸で帰国したとき、幕府がばく大な褒美金《ほうびきん》をくれた。それをぜんぶ一朱銀にかえて一升枡《ます》に入れ、節分の夜、吉原の遊里へ行って遊女をあつめ、

「鬼はそと、福はうち」

と豆まきに模してばらまき、一夜にしてつかってしまった。やがて悪遊びがたたって腰に悪性の腫物《しゅもつ》ができたので、幕船千秋丸で小笠原列島にゆくとき火箸《ひばし》を真赤に焼いてその腫物へ突き通し、

「船をとめろ、とめろ」

といいながら海中にとびこみ、潮水で傷口をあらってついに癒《なお》してしまった。

明治十年、東京品川で病死したが、死ぬまで、

「おれは坂本竜馬を教えた」

というのが大自慢であった。

やがて順動丸は、大坂の天保山沖《てんぽざんおき》に錨をおろし、竜馬らは上陸した。竜馬はその足で風雲の京へのぼるつもりであった。

竜馬は、重太郎とは大坂で別れた。

「おれ、なにしにきたのかわからないよ」

重太郎は、ぼんやりしている。竜馬にひっぱられて船にのって大坂まできたものの、江戸には道場の仕事がある。

鳥取藩江戸屋敷にも出仕しなければならない。

「竜さんは、これからどうするんだ」

「京へ行ってみる。どうやら天誅さわぎで京は血の渦がまいているらしい」

「おれは江戸に帰るよ」

さいわい、勝も折りかえし順動丸で江戸へもどるから、重太郎はその空船《からぶね》に乗って帰ることにした。

「まあ、数日浪華《なにわ》見物でもしていろよ。重さんは大坂ははじめてだろう」

「はじめてさ」

「ただ、いっておくが」

竜馬は、きびしい顔をした。

「どんなことがあっても、勝先生の身辺から離れないでおくれ。勝先生が厠《かわや》へいらっしゃればあんたも同行して厠のとびらの前に立っていろ」

「なぜだ」

「京、大坂間に、天下の攘夷志士があつまっている。開国論の勝きたる、となれば斬りにくる阿呆がいないともかぎらぬ。いや、きっといる。長州、水戸、それにおれの藩の土州などはその巣窟だ。武市半平太は、そういう天誅屋の大将らしいよ」

「おいおい、竜さん」

「なんだえ」

「おれをわざわざ大坂へつれてきたのは、勝の用心棒をさせるためかい」

「わるくとるな」

「とるよ」

ぷっと重太郎はふくれた。

なんといっても北辰一刀流の別家千葉貞吉の御曹司が用心棒とあれば、日本一の護衛だろう。

「いやだなあ」

「なぜ？」

竜馬はおかしそうに重太郎の顔をのぞきこんだ。重太郎はいよいよふくれっつらで、

「そりゃそうだろう。おれは最初勝を斬りにゆこうとしたんだぜ。それが護衛にまわるとは、軽薄すぎるよ」

「まあ、頼む」

「竜さん、おれはまだ攘夷はすてきれんぞ。勝の開国論はやはりいやなんだ」

「とにかく頼む」

「仕様がないなあ。竜さんとつきあっていると、なんだか、自分がわけがわからなくなるよ」

「頼む」

竜馬は京都に発った。

一方、勝はほどなく天保山沖で抜錨し、江戸にむかって帰航しはじめた。

途中、風浪つよくなってきたため、伊豆の下田港に入った。

おりから、逆に西上しようとしていた筑前黒田藩の汽船「大鵬丸《たいほうまる》」が入港してきた。

この大鵬丸は土佐藩が一時借りているもので、土佐二十四万石の御隠居容堂公が乗っている。

勝海舟という人物は、

（この男は）

とみると、徹底的に親切になる。どうしても竜馬を世に出してやらねば、とおもっている。

海舟は、順動丸の甲板士官に命じて短艇《たんてい》をおろさせ、

「ちょっとあの船に行ってくる」

と、波の上の人になった。

汽船大鵬丸に搭乗している山内容堂公に会いに行くためだ。大鵬丸のマストには、山内家の船旗「三ツ葉柏」がたかだかとひるがえっている。この三ツ葉柏紋は別称土佐柏とよばれ、山内家の定紋《じょうもん》で、のち、旧制高知高校（いま高知大学）の校章になった。

いや、三菱会社を興した岩崎弥太郎は、土佐藩の財産を初期の会社資産にしたため、この三ツ葉柏をよりいっそう図案化して、三菱の社章にした。読者の家庭にある電機製品などにその紋がついておれば、かつて土佐藩士が、

「柏章旗《はくしょうき》のもとに死なん」

としたその山内家の定紋がもとである。

その船旗が下田港内にひるがえっている。

（容堂に頼んで、竜馬の脱藩の罪をゆるさせてやろう）

と、勝は、短艇を進めてゆく。勝の短艇には、徳川家の「葵《あおい》」の定紋が、艇尾にはためいている。

（竜馬の世間をひろくさせるのだ）

と勝はおもう。脱藩の身では世を憚《はばか》らねばならず、行動範囲もせまくなる。たとえば江戸、京都、大坂の藩邸を使用することもできない。

（しかし、むずかし屋の容堂が、それをうけ入れるかどうか）

容堂は、もし土佐藩主の家にうまれなくても、一世にぬきんでた男になったであろう。

なにしろ、かつて千代田の殿中で、

「一橋（慶喜）の英明、春嶽（松平慶永の号。越前福井五十余万石の老公）の誠実、しかしてわが果断、この三つをもって天下のことを決すべし」

と豪語したような男だ。

越前福井藩が生んだおそらく史上奇蹟的な早熟の天才といわれる橋本左内《さない》も、容堂に拝謁したときの印象を、つぎのように国許《くにもと》の友人に寄せている。以下現代文に意訳。

「容堂公は豪快でものにこだわらず、しかしながら断乎としたところがあって、諸大名のなかでも第一の人物と小生は品評しました。もともと世間の人物をみな愚物となし、われ以外には一文銭の値打ちもないとおもわれている様子がありましたが、ただ藤田東《とう》湖《こ》（すでに死亡。水戸の学者、詩人、警世家）に対してだけは御感服なさっているご様子です」

もっともその藤田東湖は、容堂との初対面の印象を、

「貴族のお坊ちゃんで、思いあがりの木葉天狗《こっぱてんぐ》さ」

といっている。しかし容堂は、殿様ながら居合、馬術にかけては名人の域にあり、詩については おそらく幕末大詩人のひとりであろう。それに諸侯第一の豪酒家。

土佐藩が、筑前黒田藩から傭船《チャーター》している大鵬丸は、木造スクーナー船で、さほど大きな船ではない。

勝は、短艇を舷側につけさせた。短艇にひるがえっている葵の定紋の威光は、まだたいしたものであった。

大鵬丸から、ハシゴがおろされた。

「やあ、ご苦労」

と、勝はするすると甲板へのぼった。

「軍艦奉行並勝麟太郎である。容堂公《あるじ》にお目にかかりたい」

勝は、諸侯、旗本のみにゆるされた青だたき裏金輪《うらきんわ》抜《ぬ》けの陣笠をかぶり、黒の紋服、仙台平のマチ高袴をはき、蠟色鞘《ろいろざや》の大小を差している。

堂々たる容儀である。ただ容貌《かお》がいたずら小僧のようだから、この殿様ぶりは、ちょっと似合わない。

「はっ」

と駈けだした容堂の側用人《そばようにん》が、乾退助であった。側用人といっても、容堂のことだから茶坊主型の連中は用いず、みな戦国ぶりの気の荒い連中ばかりであった。乗船していたのは、乾退助、山地忠七、小笠原唯八、それにかれらの上役である「近習家老」深尾丹波のほかに大監察の寺村左膳、小南《こみなみ》五郎右衛門。

「なに、勝先生が？」

すぐ立ちあがってみずから甲板へ出た。この気さくさも、いままでの大名ではない。

それだけではない。

「いやこれはちょうどよい。酒の相手がほしかったところですよ」

と、家来に支度をさせ、勝とともに短艇に乗じて、陸へむかった。

浜辺の料亭で、飲んだ。

「ところで」

と勝がきりだしたころには、容堂はすっかり酔っている。

「御家来のなかで、坂本竜馬という者をご存じですか」

「竜馬？」

薄《う》っすら、記憶がある。かつて江戸鍛冶橋藩邸における大試合《おおよせ》で勝ちのこった北辰一刀流の使い手ではないか？

しかし容堂は豪儀な男だ。いや事実、その才能、器量の豪儀な男なのだが、たった一つこの男の欠点は、自分の豪儀さを見せびらかそうとする臭味のあるところだった。

「知りませんよ」

ととろりとした眼で、勝をみた。二十四万石の太守だ、家来のはしばしまで知るはずがない、といった顔つきである。

ちょっと勝と似ている。へそまがりでひとがみな馬鹿にみえ、事実、豪胆不羈《ふき》。例の長州藩の周布政之助の無礼事件のすこし前のことだ。やはり長州の周布、久坂、高杉一派の過激な尊王攘夷主義者が、容堂の佐幕勤王主義をからかって、ある日、「日本魂」という銘酒をとどけてきた。

容堂、色をなし、

「退助、返礼にこれをもってゆけ」

と、紙一枚を渡した。墨痕《ぼっこん》あざやかに、

「大べら棒」

とかいてあった。無智無学のくせに志士づらをするな、という意味であろう。

「勝どの、これはいかがじゃ」

と、容堂は手枕のまねをした。酔ったから寝ころんで話そうというのだ。

海舟はあまり酒を好まない。が、うまれついての酒が腹中にあり、性格として素面《しらふ》でも酔い、凄《すご》んだようなところのある男だから、いきなりごろりと横になった。

「ご無礼」

主人の容堂も、寝ころんだ。たいへんな軍艦奉行並だし、土佐二十四万石でもある。

「それで？」

と容堂。

「いや、竜馬は海南随一の男でありましょうな」

「ほう」

「将来かならず天下の用に立つ。が、いま、参政吉田東洋殺しの疑いをうけ、かつ脱藩の罪を着ています。不憫《ふびん》ゆえ、許してあげてくださりませぬか。海舟、頭をさげて頼み入ります」

「ふむ」

容堂は、ぐっと杯をあけた。

「それほどの人物とは知らなんだ。して、学問のほうの師は？」

容堂は、学問好きだから、学問のない人間はあまり好まない。

「はて」

勝は小首をひねって、

「あの男の師は、天でござろうな」

といった。

「天？」

「なにしろ幼少のころ、寺子屋の師匠が、こんな愚物は教えられぬといって教授をことわったほどでござるから、学問のほうは推して知るべしでありましょう」

「それほど無学な男を、勝先生ほどの方が人物だと推されるのは奇妙ですな」

と、容堂は、あくまでも学問をよろこぶ。

「天が師である、と申すのは」

勝はやや皮肉にいった。

「たとえば、竜馬は学者ではないが、学問は戦国の織田信長ほどはありましょう。信長は学者ではないが、天下布武《ふぶ》の大業をとげた。太閤《たいこう》秀吉は卑賤《ひせん》の出で学問というものはなかったが、天の理、時勢の動き、人の心を知り、ついには天下に治世をもたらした。人間、数ある中には、天の教えを受ける勘《かん》を備えている者がある」

「漢の高祖《こうそ》」

「そう、漢の高祖もしかり」

「されば海舟先生、わが家臣坂本竜馬は英雄であると申されるのか」

と容堂は不満気である。天下の英雄は自分であるとひそかに思っている殿様だ。

「わかりませんな。英雄というのは、天がその人物が必要と思えば、その人物に運と時をあたえるものでござる。竜馬がそういう星をもっているかどうか、これは将来でないとわかりませぬが、すくなくとも天の寵《ちょう》を受ける資格はあるようですな」

「まあ海舟先生のおっしゃることだ」

と容堂はおきなおった。

勝に、諾否の返事をあたえるためである。

「では、その」

容堂は名を思いだせないらしい。

「何と申したかな、坂本」

「竜馬」

勝は答えた。さすが二十四万石の大殿様というのはおおらかなものだ。一郷士の名などなんどきいても記憶できないらしい。

もっとも容堂の性格にもよるが。

「海舟先生のお顔に免じて、脱藩の罪、帰藩のこと、ゆるしましょう」

「ああ帰藩」

と勝は気づいて、

「帰藩と申しても、国許に帰すということでなく、身動きを自由にさせてやっていただきとうござる」

「ああそれもどうぞ」

勝手にしろ、という調子だ。自分に拝謁できる身分の男でもないし、どこをどううろつこうと、どちらでもいいことだ。

「しかし」

と、勝は念の入った男である。

「ご酔中のお言葉ゆえ、もしあとで行き違いがあってはなりませぬ。証拠のお品を頂戴したい」

「ふむ？」

容堂は興《きよう》をさましたような表情をみせたが、勝は容赦しない。

「ひと筆で結構」

と、腕を組んだ。

容堂はしかたなく手をたたいて筆と硯《すずり》をもって来させ、白扇をぱらりとひらいた。

「これでいかがです」

と、勝のひざもとに投げた。

鯨海酔侯

歳酔三百六十回

とある。

歳ニ酔ウコト三百六十回、というのは年中酔っぱらっている、ということだ。鯨海酔侯とは、みずからを指している。

鯨海とは、クジラのとれる海、つまり土佐の海をさしたものである。酔侯は、酔っぱらい大名。

「結構です」

勝は墨痕のかわくのを待って、扇面を閉じ、ふところに入れた。

この件について、もう一つ話がある。

幕府の政事総裁職松平春嶽が、ほどなく大坂に入った。

この殿様は容堂のような利かん気ではないが、幕末きっての名君である。学問があるだけでなく、政治感覚が鋭敏で、殿様ぶることがなく、人材とみれば自分からあばらやでも訪ねて行って世間話をする、というひとである。

容堂とは親友であったが、春嶽は海舟とも仲がよかった。海舟は、竜馬をひきたてるため、紹介状をかき、春嶽に会わせた。

竜馬が春嶽にあいに行ったのは、ちょうど海舟が容堂と下田港で会ったころであろう。

春嶽は、大名中でも御三家御三卿をのぞく最高の家格の大名で、しかも幕府の政事総裁職である。

それが一介の素浪人の竜馬に簡単に会ってくれた。会うと、ひどく竜馬を可愛がるようになり、のちのちまで竜馬の後援者になったが、このときの話とはこうだ。

春嶽はいわゆる殿様顔だが、錦之丞君《きんのじょうぎみ》といわれた幼少のころから美貌のひとであった。

このとき、三十六歳。

ひたいが広く、小さな眼の下から顔がながながとのびて、あごで小さく締まっている。現代《いま》でいえば、学者とか技術者とかによくある顔で、政治家にはない。行動よりむしろ思索に適している性格である。

こういう人物が幕府の「首相」にえらばれたところに幕末の複雑な政治事情がある。幕府が、朝廷の発言や、志士の世論を無視できなくなり、結局、徳川一門の名家で朝廷に対しても受けのいいこの越前福井の殿様を起用せざるをえなくなった。強権をふりまわす井伊直弼《なおすけ》型では時勢を処理できなくなったのである。

早くから、

「天下の四賢侯」

といわれた。四人の賢明な大名のうち、薩摩侯島津斉彬《なりあきら》がなんといっても人物識見とも抜群だが、安政五年、志なかばに死んでいる。

残るは三賢侯になった。竜馬ら土佐の殿様の山内容堂、伊予宇和島藩主伊達宗城《だてむねなり》、そしてこの春嶽である。

三侯はともに親友で、かつて三条内大臣の諸大夫《しょだいぶ》富田織部《おりべ》が、京都からくだり、江戸の土佐藩邸でこの三侯に会ったあと、おもしろい三人への寸評をのこしている。

「土佐侯は壮年ゆゑ英気つよし」

「宇和島侯は弁論多くすこし騒がしき方《かた》」

「越前侯は」

と寸評にいう。

「沈実寡言《かげん》」

言葉少なで、落ちついている。

「度量大にしてじつに感ずるに堪へたり」

これが春嶽の横顔とおもってさしつかえない。

「どうだ、竜馬」

と、春嶽は対面のときにいった。

「そちの主人の容堂公とわしは親しい。ひとつわしの口ききで帰藩をかなえさせてやろうか」

竜馬はぺこりと頭をさげた。そのさげかたが春嶽のような殿様にはじつにおかしかったらしく、あとあとまでも笑った。

ぺこりと下げてから、

「いっそのこと、左様おねがい致しましょうか」

「そちはおもしろいな」

春嶽は笑いだした。「いっそのこと、左様おねがいしましょうか」という返答は、頭のどういう場所から出てくるのであろう。

「竜馬、朴質《ぼくしつ》愛すべし」

と、春嶽は、あとで容堂に言い、脱藩の罪を解くことを頼んでいる。容堂も、海舟との前約もあったことだから、すぐ侍臣につたえて、それを事務化した。

その日付は二月二十五日。土佐藩庁達書《たつしがき》によれば、

坂本竜馬
右の者去戌《さるいぬ》の三月、御国元《おくにもと》を立ち《た》（中略）、忠憤憂国之至情より黙《もくし》がたく件《くだん》の次第になりしとは申《もうしながら》乍、御関所越《ごえ》の儀御作法もこれあるところ（中略）、御叱りの上、別儀無くこれを仰付《おおせつけ》らる。

このころの竜馬は、大坂、京都間を、飛脚《ひきやく》のように往復していた。

「竜馬の足は達者じゃのう」

とひとからいわれたが、じつのところ足の達者なやつでなければ仕事はできぬ、というのが、竜馬の持論である。

竜馬よりすこし後輩にあたるが、薩摩藩士の大山弥助という若者は、維新前、江戸・京都間を往復すること三十余度であったという。弥助というのは、のちの日露戦争の総司令官大山巌《いわお》のことである。

ある日、竜馬が京の河原町藩邸の前を通りすぎようとすると、

「竜馬、竜馬ではないか」

と、むかし城下の日根野《ひねの》道場のころに一緒だった望月《もちづき》亀弥太によびとめられた。

亀弥太は、新留守居組に属する下士で、詩文に長じ、剣をとらせても相当な使い手であった。のち元治元年夏、三条小橋西詰めの旅宿池田屋で謀議中を新選組にふみこまれ、闘死している。

「おい、竜馬が通る」

と、望月は、藩邸の連中に呼びかけた。みな、ばらばらと出てきた。

「なんだ、おンしらァ」

竜馬は草履《ぞうり》をぬいでふところへ入れ、さて逃げるかどうかを思案した。

「待った、竜馬、喧嘩ではない、脱藩ノ罪別儀ナシ、というご赦免《しゃめん》が出ておるぞ。みなでおンしをさがしていたのじゃ」

「そうか、出ておるか、ならばここで逃げ出さずともすむ」

竜馬は地上に草履を投げ、足にうがった。

「では藩邸でめしを食わせてくれんか」

ちょうど昼ごろである。竜馬は腹が減りきっていた。

「食わせるとも」

どっと取りかこんで竜馬をなかへ入れた。

同藩ながら、見知らぬ顔は多い。が、むこうは竜馬の名を知っている。

（この人が、坂本竜馬か）

という表情でしげしげと見る者も多かった。

世間では、ちかごろ竜馬、竜馬、という声が、しきりと聞こえるのである。

「まあとりあえず、御留守居役にあいさつせい」

と望月が、中年の立派な上士の部屋へつれて行った。

御留守居役というのは、藩邸の長官である。

「ああ、そちが竜馬か」

と、御留守居役は、例の藩庁達書を読みあげ、読みあげるとくるくる巻いて、

「七日の謹慎《きんしん》をおおせつけられる」

と、こわい顔で伝達した。

すぐ一室をあたえられ、その日から七日間竜馬は、謹慎させられた。

「ちっ、浪人でおればこんな窮屈なことはなかったのだ」

と竜馬は、大声でぼやいていたという。

七日たって、一同祝ってくれた。が、そこに見せるべきはずの顔がない。

すでに京都の志士のあいだで重鎮といわれている武市半平太である。

武市半平太は、京における尊王攘夷の志士群の重鎮になっていた。

かれは、一騎駈けの志士ではない。土佐藩の下級武士のめぼしいところはぜんぶかれの手中にあった。しかも藩の参政吉田東洋を暗殺して、クーデターをおこして以来、藩の要路の者でさえ、

「武市の徒」

がいる。

それだけではない。過激公卿のあいだにも人気があり、かれらを、攘夷へ、倒幕へ、と指導している。

武市は、暗殺団さえももっていた。その門人岡田以蔵が筆頭である。かれらは京洛に出没して、佐幕系の要人を斬った。

武市自身が手をくだしたことは一度もなかったが、京のおもな暗殺事件の背後にはいつも武市がいた。

藩邸の金も、武市の手からそういう暗殺者に渡ることが多かった。事件は大きなものだけでも、かつて安政ノ大獄のときの志士捕縛の黒幕をつとめた長野主膳の妾の子多田帯刀《たてわき》を斬ったのも土佐系暗殺者。九条家の諸大夫島田左近を斬ったのは薩摩の「人斬り新兵衛」といわれた田中新兵衛らであるが、武市が間接的に動いているふしが濃い。お

なじく九条家の謀臣宇郷玄蕃《うごうげんば》を斬ったのも、人斬り以蔵ら、土佐系の者である。武市が背後で糸をひいていることは、ほぼまちがいない。その他、目明し文吉殺しなど、土佐系の志士が京洛の地で血刃をふるった事件には、武市半平太はほとんど関与していた。

竜馬は、知っている。

(半平太のために惜しむ)

とおもっていた。暗殺もまた政治行為の一つにはちがいないが、古来、暗殺をもって大事を仕上げた人物はいない。

そう信じている。

古今、一流の人物で暗殺に手段を訴えた者があるか、というのだ。

竜馬は、京都藩邸の顔見知りのなかで、黙々と酒をのんでいる。

竜馬をとりまいて祝意を表している藩士たちは、一面では武市の門人、私淑者、感化者たちばかりであった。

(半平太もこれだけの勢力を作ったか)

とおどろく反面、かれらを刺客として使っている武市のやり方が解《げ》せない。

(史上、名をのこす男だ。しかしながら一流の名は残すまい)

武市の謎なところである。その人物の格調の高さは薩摩の西郷に匹敵するであろう。その謀略のうまさは薩摩の大久保(利通)に肩をならべ、その教養は前両者よりも豊かで、しかもその人間的感化力は、長州の吉田松陰に及ばずとも似ている。が、もっとも重要なところで、武市はちがっている。

（仕事をあせるがままに、人殺しになったことだ。天誅、天誅というのは聞えはよいが、暗い。暗ければ民はついて来ぬ）

「武市はどうした」

と、竜馬は、ついにいった。

が、満座がシンとなった。武市が竜馬を、

「こまり者」

といっていることを知っていたからだ。一同としては、二人を会わせたくはない。

――武市には隠れ家がある。

というのを竜馬は小耳にはさんでいた。

「どこじゃ。いまから行こう」

と刀をさげて立ちあがった。

「ま、まあ、待ってつかあされ。お前《まん》が参られると、チトこまるんじゃ」

武市の門人の某がいった。

「なぜこまる」

「お前は、じつは開国主義に変節されたじゃろ。それに、本来倒幕の素志を抱いていながら、幕臣勝麟太郎に近づいている。武市先生は、あれが竜馬ならねば斬るところじゃ、と申されていた」

「斬る？」

竜馬は、ふしぎそうに某の顔をのぞきこみ、

「お前らに、竜馬が斬れるかの」

と、無邪気に質問した。

「第一、竜馬は、開国か鎖国か、そんなことはわからん。わしは阿呆じゃ。阿呆にそういう高邁《こうまい》な議論ができるか。しかしながらついでだからいっておく」

と竜馬は一座をみまわし、

「どかん、と来るぞ」

と、馬鹿声を出した。

みな、あっけにとられている。

「外夷が日本を奪《と》りに来るぞ。そのとき、三百年前の刀槍甲冑《とうそうかっちゅう》に身をかためてお前らは出てゆくのか。日本は負けるぞ」

「いや、藩でも洋式銃をぼつぼつ採用されている」

「足らんわい。わしは艦《ふね》をひきいて守るゆえ、それまでは竜馬の行動をあまりつべこべいうな。人は長い眼で見るもんじゃ」

「しかし」

「それまでは竜馬を放《はな》っちゃっておけ」

「わかっちょります。そのことは武市先生もわかっちょられます。わかっちょるゆえ、変節者であられる竜馬どのに、こうして帰藩の祝宴をひらいておるのです。さもなければ、一刀両断」

「できるかえ」

「できますとも」

某は、かっと刀をひきよせた。竜馬は閉口して、

「わしゃ、逃げる」

と、のこのこ部屋を出はじめた。そのかっこうがおかしい、といって、みなどっと笑った。

「やめたかえ」

と、竜馬は、いいいたちのようにうしろをむいた。某も、頭をかいて笑っている。

「では武市ンとこへゆく。某、お前が案内せい」

やむなく、某は案内した。

河原町藩邸から近所だ。木屋町三条をすこしあがったところにある。宵ともなれば絃《げん》歌《か》のさんざめく傾城《けいせい》の町である。

その木屋町の、

「丹虎《たんとら》」

料亭である。主人は四国屋重兵衛といい、のちに新選組に襲われる店だ。武市はその

奥の離れ座敷を借りている。座敷は現今《いま》でも武市の雅号「瑞山《ずいざん》」をとり、瑞山荘と名づけて保存されている。

竜馬は、その丹虎へのそりと入った。

竜馬は「丹虎」の奥へ入り、主人の重兵衛のあいさつを受けた。

重兵衛は四国屋の屋号のとおり、先代は土佐から出てきている。だから半平太の身のまわりの面倒を見つづけてきたのであろう。

「丹虎のあるじ、四国屋重兵衛でございます」

と竜馬にあいさつした。

「半平太は、おるか」

そうきいたが、重兵衛は、まずお茶を召されてから、と言葉をにごして退《さが》った。

かわって、娘が入ってきた。美人ではないが、いかにも京にしかいないといった、しもぶくれで受け口の、あどけないむすめである。

案内者の某は、すでに重兵衛と一緒に部屋を出てしまって、竜馬だけが残されている。

「粗茶ですけど」

娘はちょっと警戒するような眼で竜馬を見、すぐ眼をふせて茶をさし出した。

「ありがたい」

のどがかわいていたところだったので、がぶりと飲んだ。

「あっ、熱うおしたやろう」

「ふむ」

ずしっと、その熱いやつがのどから腹へおさまるのを、竜馬は変な顔で待っている。

くすっ、と娘は笑って、ひっこんだ。悪い男ではない、とみたのであろう。ほどなく入ってきて、

「どうぞ」

と離れ座敷へ案内した。

「武市先生は、いまご他行中《たぎょう》どすが、すぐお帰りになります」

「酒がないかね」

「そら、こんなお店どすさけ、おすけど、この座敷でお酒を出すのは、先生からとめられています」

あいかわらず謹直な男だ、と竜馬はおもった。暗殺者の黒幕のくせに、半平太は清僧のような生活を送っているのであろう。

「あんたは重兵衛さんの娘御か」

「はい。おおくと申します。けったいな名ァどすやろ」

自分でくすくす笑って部屋を出て行った。

部屋。

といっても、三畳一間しかない。しかし贅沢な茶屋造りで、竜馬さえ、重兵衛がよほ

ど金をかけたものだろうと、見まわした。

まず、みごとな南天《なんてん》の床柱《とこばしら》がめだつ。床板は楠材の逸品で、木目がうつくしい。東の障子をあけるとすぐ下は鴨川である。朝夕の東山の山容がみごとであろうと想像された。

半平太はときどきここで絵をかいているらしく、それらしい道具がみえる。武市の絵というのは少年のころ本格的に学んだもので、素人《しろうと》ばなれがしている。

この一室で、半平太は、ときに彩管《さいかん》をもち、ときに暗殺の謀議をこらし、ときに同志とともに朝廷や諸藩への工作を練るのであろう。

「やあ」

と、白皙《はくせき》の巨人が入ってきた。

半平太である。

「竜馬、わしはお前《まん》に会いたくなかったんじゃ。まあしかしやむを得ん」

半平太は、酒を用意させた。

「この部屋は、天下のことを考え、論ずる部屋ゆえ、酒気はかたく自戒しちょるのじゃが、お前が来たとなれば仕様がなかろう」

謹厳居士の武市半平太が自分の禁をやぶるというのはよほどのことであろう。

「酒」

と命ぜられた丹虎の娘おおくのほうが、びっくりしたような顔をして、

「先生、ええのどすか？」

といったほどである。

竜馬はカンのいい男だから、武市の心がすぐ読みとれた。好意的にみれば、古い知己として別格の座にすえているということになる。

しかしわるくとれば、もはや同志ではない、と武市は見ている。同志ならば武市はこの部屋で酒ぬきで国事を論ずるはずだ。

同志ではないから、酒でも飲んで故郷のはなしでもしようというのだろうか。おそらく、武市にすればその二つであろう。好悪《こうお》二つの感情が高ぶってきて、ついに、

「酒」

ということで、気持を解決した。

「半平太、おらァ、飲まんでもよいぞ」

竜馬は、すねてやった。

「そういわずに飲んでくれ。酔って、おたがい、国事を忘れようではないか」

へたがいに議論すれば、きっと大げんかになる。なった以上、当節のことだ。しこりができ、やがては血を見ぬともかぎらない。

「武市、ひとこときくが」

と、竜馬がいった。

「なんじゃ」

武市は身構えた。武市がその才器と熱情をかたむけて構築した尊王攘夷論の考えかたにひとことでも竜馬が異論をはさもうものなら大鉄槌《だいてっつい》を加える気である。

「言うてみい」

「この家は、どっちが尻じゃ」

「尻？」

「東のほうにむいちょるか、西のほうにむいちょるか」

「尻は東じゃ」

「もうひとつ訊くが」

竜馬は、方角馬鹿なところがあって、こどものころから、そのことで友達や近所の者からずいぶんわらわれた。

「竜馬、お前《まん》はまだそれが直らんか」

武市は笑いだした。

「なおらんぜよ。それで訊くが、鴨川はどっちにあたる」

「その障子のむこうよ」

「ああそうか。その鴨川は、どう流れちょるかいの」

「北から南へ流れちょるわい」

「半平太、そこまでようわかっちょれば、事は無理をせず、自然《じねん》々々にやり、最後のここそというところでわっと堤を切るなり、せくなり、大洪水を出して天下を一変させるのじゃ。早目に堤を切ってはならんぞ」

「竜馬」

武市はなにか言おうとしたが、すぐ顔色をあらためて、

「議論になる。いわぬ。酒」

と、銚子をとりあげた。

「酒はこういう場合のためにある。竜馬、わしもおンしにはいわぬ。おンしもいうな」

「言うわい」

竜馬は、飲みほして、

「言うぞ。武市半平太、おンしは、幕臣勝麟太郎先生に天誅を加えようとしているであろう」

といった。

武市はとぼけた。が、竜馬は武市の視線をとらえたまま、

「お前は勝を岡田以蔵に斬らせようとしている。わしはさっき藩邸の門を入ったとき、以蔵をちらりとみた。本来ならあの以蔵という男は、わしの顔をみれば仔犬のように寄ってくる男じゃ。それが、ばつのわるそうな顔をして、こそこそ植えこみの中に隠れおった。坂本竜馬、眼は近いが、人の顔つきで何をしようとしているかわかるつもりだ」

「以蔵は以蔵。あの男がなにを企てていようとこの半平太は知らぬ」

「しかしお前の感化力で動いている。お前がおそらく、勝の開国主義をいつか罵倒したのであろう。人斬り以蔵には理屈はない。武市先生が罵倒するほどの悪人なら斬る、これだけじゃ。武市の指図といってよい」

「竜馬」

武市は、おそろしい顔をした。

「お前は、勝の走狗《そうく》になりさがったのか」

「門人である」

「おなじことではないか。かつてわしと倒幕回天を誓いあったむかしを、おンしァ、わすれはすまいな」

攘夷、すなわち勤王。

開国、すなわち佐幕。

というのが当時の図式である。

日本の国力で列強の軍を撃ちはらえるわけがないのだが、天皇（孝明帝）はそれができると信じ、公卿もそれを信じ、かつ武市ら攘夷志士が、朝廷を焚きつけて日本政府である幕府にそれを朝廷から強要させている。

あわれなのは、幕府だ。

「できませぬ」

とはいえず、一方では外国と条約をむすんでなしくずしの「開国」をしつつ、一方では、朝廷に対し、

「いつかはやりまする」

と、「対内外交」をしているのだ。

「期限はいつにする」

と朝廷は脅迫同然にせまっている。その朝廷を背後であやつっているのが、長州藩と土州藩武市派である。幕府がもし攘夷はできぬといえば、倒してしまう。討幕の口実をそれにする、という肚である。

だから、武市らにとっては、開国論はすなわち佐幕になるのである。

「変わっちょらせん。おれは倒幕よ。おれはおれのやりかたでそれをやる。だからそれまではおれの邪魔をするな」

「邪魔しとらん」

「勝を殺すというのがそれじゃ。半平太、この件、念を押したぞ」

京の春

「とにかく、勝を」

竜馬は、武市に念を押した。

「殺すな」

そういって「丹虎」を出た。

勝はいったん江戸に戻ったが、ほどなく、将軍上洛のことで、海路、上方にやってくるのだ。

当然、京に入る。

京は、長州、土佐藩士をはじめ、殺伐な攘夷志士の巣窟である。かれらのうちの何人かは、ツカ頭《がしら》をたたいて勝を待っている、とおもってさしつかえない。

竜馬は、心配だった。

河原町の藩邸にもどると、すぐ、

「岡田以蔵はおらんか」

とどなりながら門を入り、さらにどなりつつ廊下を歩き、自室に入った。

出格子《でごうし》の障子をあけると、すぐ眼の下が高瀬川である。雨がふっている。

竜馬は、行燈に火を入れた。

「以蔵です」

と、岡田以蔵が、朱鞘の大刀をつかんで入った。

「ほ。ひさしぶりだな」

と、竜馬は、出格子の台に腰をおろしながら、羽織をぬいだ。

「はあ」

もともと以蔵は無口な男だ。しかし、顔をくしゃくしゃに笑《え》み崩して、竜馬を見あげている。以蔵にすれば、

(あなたを兄のように慕っています)

といいたいところだろう。

だが、眼だけは凄い。そこだけは獣のように油断なく光っていて、微笑でかくそうにも蔽《おお》いきれない異様さがあった。殺戮者《さつりくしゃ》特有の眼である。

「もう何人斬った」

と竜馬はいおうとしたが、竜馬はその言葉を呑み、ただ微笑をつづけていた。

「うわさはきいている。以蔵も男をあげている様子だな」

とだけいった。人斬り以蔵といえば、薩摩藩の田中新兵衛とともに、京洛を戦慄させている暗殺の名人である。

「尽忠報国《じんちゅうほうこく》あるのみです」

「結構なことだ」

竜馬はうなずいた。以蔵の単純な頭脳では、人を殺すことだけが、国家統一への道だとおもっているらしい。

「ところで以蔵」

「はい」

「もうすぐ、日本でもっともえらい人が、京都に入る。おンし、護衛してくれんか」

「どなたです」

「幕府の軍艦奉行並勝麟太郎先生だ」

「あっ、奸賊ではありませんか」

「殺すつもりでいたのか」

「そうです」

「それを護衛しろ」

竜馬は、以蔵の頭でもわかるようにじゅんじゅんと説ききかせ、

「理屈はそれだけだ。とにかくこの竜馬を信ずるならば、竜馬が信ずる勝先生を護衛もうしあげろ。以蔵、頼んだぞ」

竜馬は、高瀬川の夜雨をみつめている。

「頼むぞ」

と竜馬にいわれて以来、人斬り以蔵はこの男なりになやんだ。

悩むのは当然であろう。開国論者の勝海舟は、攘夷論者の武市半平太からみれば「大奸賊」である。

(それを護衛しろと坂本さんはいう。師である武市先生にそむけ、というのとおなじではないか)

とおもうのである。思いながらも、実のところ、以蔵のような無学者にとっては、師匠の武市半平太はちかづきにくい存在であった。

それよりも、以蔵は、師匠の友人の竜馬のほうが、親しみがもてる。もてるどころか、かつて大坂高麗橋《こうらいばし》で竜馬から受けた大恩はわすれがたい。

(そのくせ、あのひとは恩人づらをしなさらん)

それがうれしい。

まだほかに、以蔵が竜馬に感謝していることがある。

以蔵は、身分、足軽であった。土佐藩では足軽は他藩以上にいやしめられたもので、藩規として、正式の場合はその姓を名乗ることができない、というほどの差別である。

藩の同志たちも、いや武市半平太でさえもときに、

「足軽」

といった眼で以蔵をみる。以蔵にはそれが敏感にわかるのだ。

(ところが、坂本さんだけはしなさらん。あのひとはかつてわしにいったことがある。――人間に本来、上下はない。浮世の位階というのは泰平の世の飾りものである。天下が乱れてくれば、ぺこぺこに剝《は》げるものだ。事をなさんとすれば、智と勇と仁を蓄えねばならぬ)

以蔵は思いあまって、師匠の武市半平太のもとにゆき、正直にうちあけた。

果然、武市はにがい顔をした。

(攘夷主義者であるそちが、勝を護衛するのか)

といった眼でじっと以蔵をみつめていたが、

「まあよい。竜馬にも考えがあろう。いうとおりにしてやれ」

不快そうにいいすてた。

このとし、文久三年二月二十六日、勝は予定どおり、順動丸で再び大坂にきた。

すぐ京都にのぼった。

竜馬は、勝の宿舎へ行って会い、以蔵をひきあわせた。

「この男、同藩の岡田以蔵です。ご外出のときにはかならずお供に加えてやって下さい」

「用心棒かね」

勝は、カンがいい。しかし岡田以蔵のうわさは勝も聞き知っている。人を斬るのが尊王攘夷、とおもっている狂犬のような男ではないか。

(竜馬も、よりによって妙なやつをつれてきたものだ)

とおもったが、勝はひとを信じた以上、どういうわけだい、とはいわない男である。

「供にしてやるよ」

とその日から連れて歩いた。


勝が上洛してから、人斬り以蔵は、そのあとを犬ころのようについてまわった。

ある日、勝は二条城での会議がおそくなって、退出したときは夜になっていた。お供は、若党の新谷道太郎。このひとの歿年はたしか昭和十三、四年。九十余歳まで生きていたひとである。

城内の供待ち部屋では、道太郎のほかに以蔵も、神妙にひかえている。

「やあ、遅くなった」

と、勝は玄関で草履をはき、ふと城の櫓《やぐら》を見あげると、さきほどまでそこに出ていた月が、消えていた。

「降るのかな」

勝はひとりごと。

「さあ、降るのは夜半でしょう」

と以蔵。この男は、雨気が皮膚でわかるのか、晴雨のカンのするどい男である。

「しかし、降りそうでふらぬ、といった夜が一番あぶのうございます」

「刺客が出る夜だ、というのかね」

「はあ、拙者の」

「ふむ、経験に照らして、ということか。玄人《くろうと》が云うのだからまちがいあるまい」

こういう夜は、壮士の血が殺気で沸くものだ、ということを岡田以蔵は知っているのである。

「さあ、出ようか」

と、三人は城の小門から城外へ。

大手の橋をわたると、堀川の通りである。

勝の宿舎は、六角通新町の紀州屋敷で、二条城から近い距離ではない。

提灯を二つ。

一つを若党道太郎がもって先導し、一つは以蔵が持って勝の左側にピタリと身をよせつつ、足を運んだ。堀川を南へ。

勝は、だまっていられない男で、なにかとしゃべっている。

以蔵は、沈黙のまま。

「お前さんは無口だな」

「………」

以蔵は、無言で頭をさげた。口をひらいては、四囲の気配がつかめぬからである。

「人殺しはよしたほうがいいよ。百人や千人の人間を殺したところで、時勢の流れが自在に変わるもんじゃねえ」

「………」

越前屋敷の塀をすぎて、土地で通称「押堀川町」といっているあたりまできたとき、堀川ばたの柳がわずかに動いた。

動いた、とみたのは以蔵のカンである。

果然、数人の足音がにわかに湧きあがって闇のなかに白刃がきらめいた。

「奸賊――」

と同時に躍り出た影は、二つである。以蔵はその影にぶちあたるようにして近づき、抜きうちに斬りさげた。

かえす刀で、左手の男の腰車を斬り、

「土佐の岡田以蔵と知ってのことかァッ」

と大音を発した。

そのおどしがよほどきいたのであろう。五、六人はいた影が、わっと、悲鳴をあげるようにして逃げてしまった。

以蔵、剣をおさめた。

無言。

返り血が、勝のハカマにかかった。

が、勝は顔色も変えず、ふところ手のままぶらぶら歩いてゆく。以蔵、さすがに息が荒々しい。しかしあくまでも無言である。勝の左側をひそひそと歩く。

晩年、勝は、このときのことを、こう速記させている。

三人の壮士が、(と勝は人数を三人だと記憶している)それがいきなり前へあらわれて、ものもいわずに斬りつけてきた。おれはおどろいて後ろへ避けたが、おれのそばにいた土州の岡田以蔵が、いそぎ長刀をぬいて一人の壮士を真っ二つに斬った。

「弱虫どもが何をするかっ」

と一喝したので、あとの二人は勢いにへ、き、え、き、していずこへともなく逃げた。おれもやっと虎口《ここう》を遁《のが》れたが、何にしても岡田の早業には感心したよ。

右が勝の言葉だが、他の記録では敵は数人。岡田が斬ったのは二人、ということになっている。いずれにしても岡田以蔵は、自分と同じ主義の「攘夷主義者」を斬ったことになる。

といわれるようになったのは、この事件からである。

いや、もともと以蔵にすれば、主義や思想などはなく、多くの二流以下の「志士」がそうであったように、かれを風雲にとびださせたのは、かれの血の気だけであった。頭

脳は、師匠の武市半平太にあずけっぱなしで行動した。武市がやれといえばやった。武市がだまっていても、

（あの奸物を斬れば師匠に気に入られる）

とおもえば、斬った。

それだけのことだ。こんどは、竜馬に以蔵は「頭脳」をあずけたことになる。

「……」

と、勝はだまって歩く。勝は幕末の一異漢であるし、度胸も自分では甕《かめ》のように大きいとおもっているが、なにぶん、眼の前で人が斬られるのをみたのははじめてである。多少の動揺はある。

やがて勝は、

「岡田君」

と、不快そうにいった。

「君は、人を斬ることを嗜《たしな》んでいるようだが、大丈夫《だいじようぶ》たる者の道ではない。大丈夫という者は、人に斬られても人を斬らぬものだ」

「……？」

「今後は、いまのような行動を改めたほうがよい」

「勝先生」

と、以蔵は不服そうにいった。

「私にはわかりません。いや、たったいまこのことについて申せば、あのときもし私がいなければ、先生の首は飛んでいたでしょう」

（それもそうか）

説法《せっぽう》好きの勝は、うっかり自分の立場をわすれて説教してしまっている。

晩年、勝は、このときのことを話すたびに、

「これにはおれも一言もなかったよ」

と苦笑した。勝がいいたかったのは、一人の生命と一国の生命とはおなじ重さだ、ということだったのだが、以蔵はついにわからずじまいで、そのみじかい生涯をおわった。

京に入った竜馬が、お田鶴《たず》さまのもとへ訪ねたのは、三月のはじめである。

寺町通を北へあがり、清和院御門のなかへ入ると、そこは公卿《くげ》屋敷の町である。

屋敷々々の樹木が天に重なりあって、

公卿の森

といってよかった。

竜馬は三条屋敷に入り、名札をさしだしてお田鶴さまに面会をもとめた。

「土佐藩士坂本竜馬、どのでござるな」

取りつぎの小用人がひっこんだ。べつに怪しんではいない。

土佐侯山内家と公卿の三条家とは、姻戚《いんせき》のあいだがらである。

自然、土佐藩士が、公用私用でよく出入りしている。

お田鶴さまはこのとき、邸内「信受院様」の部屋で、双六《すごろく》のお相手をしていた。信受院様とは、先代三条実万《さねつむ》の未亡人である。

実万。

三条家の前主。井伊直弼がおこしたいわゆる安政ノ大獄で隠居、落飾《らくしょく》を命ぜられ、洛北一乗寺の堀ノ内で隠棲《いんせい》した。

隣家に渡辺喜左衛門という郷士がおり、これとよく茶話をしたが、あるとき、どこからともなく菓子が贈られてきた。

実万は甘いものには目のないほうで、

「喜左衛門、賞味しよう」

と、ふたりでたべた。喜左衛門、たちまち中毒をおこして絶命。

臨終《いまわ》のときに喜左衛門が、

「御所様（公卿への敬称）、毒まんじゅうでござりまする。幕府の詐略《さりやく》でございましょう。お召しあがりになりませぬように」

というと、実万は、

「もう食べたわい」

悲痛な顔をした。医者がよばれて吐瀉《としゃ》したが、なお胃の腑にのこったのか、それから十日目の安政六年十月六日、死歿した。ときに五十八歳。

毒殺の元兇《げんきよう》井伊大老は、その翌万延元年三月三日、大雪の日、十八名の水戸、薩摩浪士群に桜田門外で討たれ、実万の仇も報ぜられたが、父実万が殺された怒りはその長子実美《さねとみ》（維新後太政大臣、内大臣、明治二十四年歿）をして公卿のなかでもっとも激烈な討幕派たらしめた。

信受院はその未亡人である。

実家の山内家からつけられたお田鶴さまを相手に老後の日を消している。

お田鶴さまも多忙であった。三条家が、討幕主義の家だけに、お田鶴さまは、母藩土佐藩の出身の志士の面倒をよくみている。

たとえば、竜馬の同志である池内蔵太《くらた》（脱藩）が、江戸から帰る途中、旅費にこまり、両刀も着衣も売り、乞食姿で三条家の門前に立ったときも、刀と旅費をめぐんでやっている。

やはり竜馬の同志河野万寿弥《ますや》（維新後敏鎌《とかま》、諸大臣を歴任し、子爵。明治二十八年歿）が江戸から国許にもどる途中、京の藩邸で病いに倒れたのをあわれみ、寝具をあたえ、お田鶴さま付の下婢《かひ》をやって看病させている。

「竜馬どのが？」

お田鶴さまは、双六の手をとめた。

「お通し申しあげますように」

と、お田鶴さまは取次ぎをさがらせてから、ふたたび双六の盤面に顔をふせた。

(信受院様に顔色をみられたくない)

とおもったからだが、当の信受院様は、興ぶかげにそういうお田鶴さまをながめている。

信受院様は笑顔のいい老婦人である。ちかごろは媼寂《おうなさ》びて来られたようだが、さすが土佐二十四万石の姫君そだちだけに、年とともに気品がみがかれ出てきて、かえってお若かったころよりはお美しい、とお田鶴さまもおもっている。

「田鶴、存じておりますよ」

信受院様は、ほろほろと唇をほころばせながらいった。

「竜馬とは、坂本竜馬のことでしょう。身分はいやしいが、おもしろい武士だときいています」

「はい」

お田鶴さまは顔を盤面に俯せたまま、唇を噛んでいる。頬に血がさしのぼるのを懸命にこらえているのである。

「田鶴」

「はい」

「好きなのでしょう?」

お田鶴さまは、はっと顔をあげると、信受院様の邪気のない微笑がそこにある。

「まえまえから察しておりましたよ。田鶴は藩士たちのうわさをわたくしに聞かせますとき、坂本竜馬のはなしをするときだけ、眼のかがやきがちがっていました。これ、わたくしの邪推かしら」

「邪推などと」

「ホホ、変なことばをつかいました。当て推量というべきでしょう。でも、わたくしはわたくしで、ちっとも竜馬があらわれないので、田鶴のために気をもんでおりました」

「いいえ、あの。……」

「いいわけは無用ですよ。おなごが男を慕うというのは自然な情です。それに、田鶴のように身持も堅ければ、わたくしも安心して田鶴をからかうことができます。もう双六はやめましょう」

「そんな」

お田鶴さまはあわてて、骰子《さい》をふる筒をとりあげた。

「田鶴、なにをうろたえています。わたくしの番ですよ。でも、やめましょう。あすまでおひまをあげますから、ゆっくり物語などして来ますように」

信受院様は、源氏物語が好きで、大名の家に育ったわりには、こういうことにひどくさばけていた。

「ただ」

と、お田鶴さまをいたずらっぽく見て、

「田鶴にかぎって間違いはないとおもいますけど、嬰児《やや》を生むようないたずらごとだけはしてはなりませぬ」

（まあ。……）

「わたくしは、田鶴を家来ながら珠玉《たま》のようにおもっておりますから、このことだけは心得ますように」

さばけているようで、そこは貴族だから、信受院様もわがままなものである。

お田鶴さまは、自室でちょっと鏡をのぞいてから、玄関わきの小部屋へむかった。

（雪でも降りそうな）

中庭の廊下から空を見あげて、無意味につぶやいた。自分を落ちつかせるためである。

小部屋に竜馬はいた。

「やあ、久しぶりです」

「そうでしたね」

お田鶴さまは、しずかにすわった。挙措動作《きよそどうさ》の端正さは、さすが、土佐藩譜代家老の家にうまれただけのことはある。

「竜馬どのはお元気でしたか」

「患《わずら》わぬようです」

「そう」

お田鶴さまの言葉がみじかい。気持がおちつくまで言葉ずくなでいないと、どんな妙なことをしゃべるか、自分で自分が信用できないのである。

「お田鶴さまもお達者で」

とは竜馬はいわない。もともと世間なみなあいさつをしない男なのだ。

もっそりとあごをなでている。

みれば、黒木綿の羽織が旅塵《りょじん》でよごれ、紋が灰色になっていた。

（あいかわらず、きたない）

「竜馬様」

「ハイ」

竜馬は、変な声を出した。かすれている。この男なりに、お田鶴さまに逢うということが、懸命なことらしい。

（やっぱり竜馬様は、わたくしを想ってくれている）

と、お田鶴さまはおもった。そうおもうとひどく落ちついてきて、われながら女とは妙なもの、とつい微笑をふくんでしまった。

「なんです」

「いいえ、そのお羽織のこと。田鶴がつくって差しあげましょうか」

「これ、きたないですか」

「すこしね」

「櫛風沐雨《しっぷうもくう》、着たきりすずめでしたからな。なるほど」

と竜馬は袖をぺろりと舐《な》め、

「塩っからくなっちょるわい」

「からい？」

「江戸・大坂は海路でした。京・大坂はいつも陸路ゆえ、塩のほかに街道ボコリの味もしちょりますわい」

「なかなかの食通ですね」

「ろくなものは食うちょらんが」

「食べさせてあげましょうか」

「頼みます」

竜馬は、片手おがみをした。

「だけど、そのようにきたないなりをしたひととゆくのはいや。せめて羽織だけでも無紋の黒縮緬《くろちりめん》をとりよせてさしあげましょう。その羽織はお捨てなさい」

「捨てると、叱るひとがあります」

「まあ、どなたです」

「これは、千葉道場の小嬢《こいと》どので、さな子と申されるひとが作ってくれたものです」

「竜馬様」

お田鶴さまは、おだやかでない。

が、すぐ微笑をうかべて、

「さな子殿と申されるのは、竜馬様の許婚者《いいなずけ》でございますか」

と、お田鶴さまはいった。

「ちがいますが、親しくはありますな」

「どうお親しいのです」

つい、尋問の口調になった。

「北辰一刀流の同門仲間です。というより師匠筋ですな。貞吉老先生の娘でありますし、拙者が頂戴した免許伝書にも、さな子殿の名前が出ています」

竜馬は、懐ろから伝書一巻をとりだし、じつは、これを国もとの乙女《おとめ》姉さんあてに送ってほしいと思ってもってきた、といった。

「道中、邪魔ですから」

「披見《ひけん》させていただいてもよろしゅうございますか」

「いいですよ」

巻物を解くと最後に人名がならんでいる。開祖千葉周作成政を筆頭に、竜馬の直接の師匠であるその弟の貞吉政道、さらに「重さん」である千葉重太郎一胤《かずたね》、その横に、重太郎の妹たちが三人ならんでいる。名は、佐那女《さなじょ》、里幾女《りき》、幾久女《きく》。

りき子、きく子のふたりは、はやく嫁《とつ》いだから、いまは千葉家にいない。長女のさな子だけが、残っているわけだ。

「そこに、佐那女、とあるでしょう。そのひとですよ、この羽織を縫ってくれたのは。免許皆伝の腕で、なかなか手ごわい」

「うつくしいひとでしょうね」

「ひとはそう言いますな」

「竜馬どのもそうおもうのでしょう？」

「無論」

お田鶴さまはばかばかしくなって、巻物をとじた。

「乙女殿におくって差しあげます。それと、御馳走をしてあげますから、清水《きよみず》の明保野《あけぼの》亭《てい》へひと足さきに参られますように」

「この羽織のままでいいでしょうな」

「きたなくて田鶴はいやですが、竜馬どのにとって大事な方がお手縫いになったのですから、そのままで結構です」

切り口上で、いった。

竜馬は、そとへ出た。

（おや）

雪が、ちらつきはじめている。

（今夜は、積りそうだな）

辻駕籠をひろった。

途中、柳馬場《やなぎのばんば》三条下ルで、火事があり、竜馬は見物のためにおりた。火もとは床屋で、その隣りの町家に類焼し、三軒目の板塀の屋敷が燃えている最中であった。

屋敷はさほど大きくはないが、いかにも由緒《ゆいしょ》ありげな構えだったので、

「たれの屋敷だ」

ときくと、駕籠かきが、

「いまはお亡くなりになりましたが、楢崎《ならさき》将作という高名なお医者様の屋敷でございます」

「楢崎？」

竜馬は火事場へむかって駈けだした。

名は知っている。去る安政ノ大獄で捕縛され、牢死した勤王家であった。

楢崎将作の遺族は窮迫している、とかねて竜馬はきいていた。

同志のうわさでは、未亡人は、屋敷に何世帯もの他人を住まわせ、その部屋代で食っているという。収入はわずかなものであろう。その上にこの火事である。

(夫は獄死、家は火事。――こいつはかなうまい)

竜馬が夢中で駈けだしたのは、そうおもったからである。

義侠、といえばていはいいが、竜馬にはそれほどの美談趣味はない。日ごろはのそのそしているくせに、こういう事態をみると、命も要らず、という気持になり、眼さきもかまわず駈けだしてしまう。

(妙な男じゃ)

とは竜馬自身はおもっていない。

しかしそれにしてもこのときの猪突《ちょとつ》ぶりは、異常すぎた。のちにこの「火事」が、竜馬の運命に別なものを加えるにいたるのだが、やはり、このとき、そういう見えざるものに誘《ひ》き入《い》られたというべきか、どうか。

「どけどけ」

と黒山の人だかりをかきわけているうちに、竜馬の両耳は、口々にわめいている町内の連中の言葉から、重要な数点を聴きとった。

遺族に、次郎という男の子がいるらしい。あとでわかったことだが、このとき九つ。

それが、

「脇差、脇差」

と口走って、いったん逃げ出してきた火事場へまた入ったという。

脇差、というのはあとでわかったことだが、家財を売り食いしつくしたあとにたった一つ残っている亡父のかたみであった。

「焼け死ぬぞ」

「煙にまかれるぞ」

とみな口々に叫んでいるだけで、たれも救出しようとする者がない。

いや、姉らしい武家風に作った娘が、飛びだそうとしていた。

それを、近所の人々が懸命に抱きとめていた。この火勢をみては、それが他人にとってせいいっぱいの好意だった。

「はなしてください、はなしてください」

と、娘はもがいていた。

(よし、おれが行っちゃる)

竜馬は火消人足から濡れムシロとトビグチを一つ借り、

「おれに水を掛けろ」

と命じた。

ざぶっと、頭からかかった。

「刀をたのむ」

両刀を脱して、ポン、と投げた。と竜馬は記憶しているのだが、じつは娘にあずけたらしい、と後刻、冷静になってから気づいた。

だっ、
と、火中に突進した。

トビグチと濡れたムシロで、燃え落ちてくる大小の火の粉をはらいのけつつ裏庭に達すると、そこも、もうもうたるけむりである。

「坊っ」

竜馬は、倒れている子を見た。

少年は、窒息《ちっそく》しているようである。

竜馬は、さらうようにして抱きあげると、少年に濡れムシロをかぶせ、そのままの姿勢で、
ずしっ、
と、板塀に左肩をぶっつけた。板三枚が、釘をはなれた。竜馬は足をあげて蹴倒し、せまい露地へとびだした。

すぐ、隣家の勝手口がある。ひどい煙で、眼があけられない。涙をぬぐってやっと眼をあけると、どうやらそこにはまだ火がまわっていない様子である。

勝手口から隣家にとびこんだ。すでに家人も家財も退避していたが、その空家に火消が十人ばかりはいりこんで柱にツナをつけ家屋をひき倒す支度をしているところだった。

「ご苦労じゃな」

「へっ？」

火消のほうが驚いた。髪の毛が焼けちぢれ、顔が煤《すす》でまっ黒の浪人体の大男が、煙のなかから出てきたからである。

「旦那、袴に火が」

「ホイ」

足でもみ消してから、

「まだ倒すなよ、まだ倒すなよ」

といいつつ、そとへ出た。

どっと人垣がどよめいた。

竜馬は子供を地上にひきおろし、活《かつ》を入れると息を吹きかえした。

「坊、脇差はなかったろう」

「うん」

少年は無邪気にうなずいた。

「もう無茶はするな。脇差なんぞはいくらでも売っている。あんな金物を父の形見だとか武士の魂だとかいっているのは自分に自信のない阿呆のいうことだ。形見はお前さん自身さ」

少年は、可愛い顔だちをしていた。話にだけきいている故楢崎将作というひとは存外美男だったのかもしれないと思いながら、

（そうだ、お田鶴さまだ）

とおもいだして、あわてて駈けだした。駕籠屋が待っていた。

「おう、逃げずにいたか」

「旦那、駕籠賃はまだもらっていませんよ」

「ああ、そうか。すぐ明保野亭だ」

駕籠が、駈けだした。

「おかしいなあ、旦那、稼業がらでこういうことはわかるんだが、すこし目方がかるくおなり遊ばしたね」

「もっともだ。そういわれてわかったが、おれは大小を火事場に忘れてきちょる」

竜馬は、やっと気づいて、ボンヤリしている。一体、たれに渡したのだろう。

「そう言や、旦那のお腰のものを若い娘がたもとで抱いていましたよ。旦那が出てくるときには居なかったなあ」

「盗まれたかなあ」

「冗談じゃありませんよ。引っかえしましょう」

「おれは引っかえすのはきらいだ。その辺の通行人をよびとめて、火事場へ伝言を頼んでくれ。おれは土州藩士坂本竜馬。清水の明保野亭へもってこい、と」

「のんきだねえ」

駕籠が産寧坂《さんねいざか》をのぼって、明保野亭の前でそろりと肩をはずした。

竜馬が出た。

丸腰で、全身びしょぬれのまま、袴などは、べったり股にくっついたままだ。しかも髪のあちこちが焼け焦げて、顔は煤だらけである。これでお田鶴さまといわば「逢曳《あいびき》」しようというのだから、話にもなにもならない。

「旦那」

駕籠かきまでが、見かねた。

「こういっちゃなんでございますが、ひどいなりでございますねえ」

袖などは焼けこげて、ボロが腕にぶらさがっている。

「ホンに、乞食じゃな」

竜馬もわれながらおかしくなって、げらげら笑いだした。

駕籠屋は、すっかりこの侍が好きになってしまっている。だからつい余計な節介《せっかい》をやいて、

「旦那、明保野亭といえば、京でも通った店ですが、おなじみなんでございましょうね」

「馴染《なじみ》でなけりゃ、どうなるんだ」

「いや、そのお姿でお入りになっちゃ、玄関へあげてくれませんよ。悪いことを申しませんから、ここで待っていなさい。この近所にあっしどもの懇意の古着屋がございますから借りてきてさしあげます」

「ありがとう。しかしまあ、これでいいだろう」

「いや」

駕籠屋は、がんこだ。

そういう押し問答を、明保野亭の使用人がどこかで見ていたらしく、女将《おかみ》に注進した。

「淡島《あわしま》乞食が、ゆすりに参りましたよ」

といったものだから、店じゅうが騒ぎになった。三条の橋下あたりで小屋をつくっている乞食が、淡島の神符《しんぷ》を売ると称してこういうなりで水商売の門口《かどぐち》に立ち、いやがらせをして、いくらかのぜにを得るということが、わりあい多い。

「駕籠に乗った乞食です」

「どんな？」

「大男でございますよ」

竜馬は五尺八寸あったというから、当時としては人目を驚かすほどの大男である。

そういう騒ぎの最中、お田鶴さまは離れ座敷でひとりすわっていたが、廊下で騒ぐ声でほぼ様子がわかったため、

（ひょっとすると）

と思い、手をたたいた。

「門前の乞食、紋所《もんどころ》はなんです」

「桔梗紋《ききょう》でございます」

「ああ、それは。淡島乞食でもなんでもございません。むかし、ここにお見えになっていたお客様です。お通しください」

（しかしなぜ竜馬どのが、ほんの数刻の間にそのようなかっこうになってしまったのかしら）

竜馬が入ってきた。

お田鶴さまはさすがに目をみはった。

「どうなさったのです。そのお姿。――」

お田鶴さまは、眉をひそめた。

（まったく、眼が離せない坊やだこと）

とおもうのだ。梨《なし》の木《き》町の三条屋敷へ訪ねてきたのは数刻前だというのに、もうこんなに泥んこになってしまっている。

「お袖などは、ぼろぼろ。焼けてぬれて泥んこで、それじゃ、せっかく大事なお女《ひと》に縫《ぬ》っていただいたお召しものも台なしじゃありませぬか」

「お田鶴さまがわるいんじゃ。わしの羽織を、ああまでけちをつけるキニ、まこと、こうなった」

「田鶴のせい？　ばかにしていらっしゃる。ご自分がどこかでいたずらなさったくせに」

「こどもじゃありませんぜ」

「竜馬どのなら、たいしてちがいはありませぬ。いったい、どうなされたのです」

「柳馬場《やなぎのばんば》で、火事」

「火事。それでどうしました」

「いや」

竜馬は手短かに物語り、物語ってからがたがたと慄えるまねをして、

「寒い。火事とはこんなに寒いものとは存じませぬじゃった」

「それに、火事とは汚いものでございますね」

お田鶴さまはからかいながら、明保野亭の者に、すぐ風呂をたてるよう、命じた。

幸い、湯がわいていた。

「いや、風呂はいい」

と、竜馬は子供のころからの風呂ぎらいで、そのくせがいまだになおらない。

「いけませんよ。竜馬どの。その為体《ていたらく》では、この店があとで畳替えをしなければなりませぬ。さ、田鶴が入れてさしあげましょう」

「いや、いいです」

「聞いていますよ、おうわさは」

と、お田鶴さまが笑った。うわさというのは、竜馬は少年のころ、乙女姉さんがやかましくいって湯に入れたものだが、乙女が、手を離せぬ用事などがあったときなどは、

――今日はひとりでお入りなさい。

というと、ハイ、と答えて、しばらくすると手拭だけを濡らして戻ってくる。顔も手

足も、真黒のままである。

——竜馬さん、入りましたか。

と乙女がただすと、入りました、といって手拭をみせる。顔にうその証拠があるのに竜馬は気づかない。だから乙女は、いつも付きっきりで入らなければならなかった。

「きいています」

とは、そのことである。

「さ、おいでなさい」

お田鶴さまは竜馬を湯殿に案内し、板ノ間で立ったまま、竜馬が脱衣するのをじっと監視した。

(弱るなあ)

竜馬は、無頓着《むとんちやく》なくせに、容易に裸をみせたがらない奇癖があった。例の、うまれたときから背中に密生しているくろぐろとした旋毛《せんもう》である。見苦しいというほどのものではないが、当人は婦女子のようにはずかしがった。そういうこともきいているから、お田鶴さまは竜馬をいじめてやろうと思ったのである。

竜馬は手桶に湯をくみ、

ざぶっ、

と肩からかぶると、黒い汗が流れるかとおもうほどに煤や泥でよごれている。

（痛え）

とあらためて気づくと、肩、脚のあちこちに、火傷《やけど》やひっかき傷があって、ちょうど戦場から帰ってきたようなぐあいである。

いつのまにか、お田鶴さまが、かつての乙女姉さんのような姿で入ってきた。紅ダスキを十文字にかけ、すそを甲斐々々しくひざまでたくしあげている。姫御前《ひめごぜ》のあられもござらぬ、というところであろう。

「竜馬どの、流してさしあげます」

「いやだ」

竜馬はあわてて湯舟にとびこんだ。例の背中をみられるのがいやなのだ。ましてお田鶴さまに前を露呈するわけにはゆかないから、進退に窮してしまったのである。首まで浸《つか》りながら、

「お田鶴さまも、なにやら乙女姉様に似て参られましたなあ」

「竜馬どのが似させてしまうのでしょう。あなたのご様子をみていると、そこまで面倒をみて差しあげねば、うまく生きてゆけないひとだというような気になってしまいます。いってみると、竜馬どのがわるいのですよ」

「私はしっかりしておりますよ」

「それはお口だけ。――」

「そうかなあ」

「手のかかるひとです。江戸のさな子どのとやらも、そういうお気持でございましょう」

「なるほど」

竜馬は、がっかりしている。そういえばさな子も、怒りっぽいくせに、うるさいほど親切なところがあった。

「竜馬どのはお嫁さんをお貰いにならないのですか」

「貰いませんな」

「なぜです。あなたのようなかたには、お嫁さんが必要ですよ」

「治世《ちせい》にうまれていれば、私は亡父の希望どおり、兄の権平から高知城下に道場をつくって貰って、剣術使いとして世をすごし、平凡な妻をもらい、子をうみ、近所から度外《どはず》れ者と嫌われながらも、安穏《あんのん》な世を送ったことでしょう。……しかし」

「乱世におうまれ遊ばしましたね」

「ええ。古来、乱世というのは男の時代ですからな。家はもちたくない」

竜馬の顔がだんだんゆであがってきた。湯がひどくあついのである。

「こりゃ、たまらん」

飛びだしてしまった。

お田鶴さまはそこを待ちうけて、竜馬に背中をむけさせてしまった。

なるほど、堂々たる背中である。その背筋を中心に、竜のたてがみ、といった奇毛がはえひろがっている。

「まあ、お話にはきいていましたが、これが竜馬なんですねえ」

お田鶴さまは、感嘆した。ひょっとすると天が、この乱世を収拾するために竜の化身《けしん》を地上に降したのではないか、と半分本気でおもうのである。

お田鶴さまは、ざあっと竜馬の背を流してやると、ぬか袋でごしごし洗いだした。

（へんな毛。――）

とお田鶴さまがおもっているであろうと想像すると、竜馬は身のちぢむ思いだ。この毛が竜馬の苦のたねで、まったく、お袋様もおかしなぐあいに生んでくれたものだと、恨みたくなる。

背を流しているお田鶴さまには、そういう竜馬の気持が伝わってきて、ますますいたずらっぽい気持になる。

お田鶴さまがおかしいのは、こんなに無頓着で、野放図で、女の気持など汲んでくれそうにない若者が、たった一つ、背中の毛のために少女のようにはずかしがっていることであった。

もっとも、竜馬も、よっぽど機嫌のいいときでしかも酒に酔っぱらったときなど、芸者の前でぱっともろ肌ぬぎになり、

「どうだ、竜馬の意味がわかったか」

ということがある（といっても、一生で二度ほどだったそうだが）にはある。

しかし平素は、真夏でも人前で裸になることはなかった。人間、たれしも、自分の肉体のどこかに劣等感をもっていて、そういうものは子供のころから生涯にかけてついにぬけきれないものらしい。

しかし他人の眼からみると、当人がはずかしがっていることが、かえって愛嬌で、お田鶴さまの場合など、

（だからこそ竜馬どのは可愛い）

とおもっているほどだ。

「竜馬どのは」

とお田鶴さまは、まったく別な話題をえらんだ。

「開国主義になられたそうですね」

という言葉は、この当時、国賊、佐幕、売国奴《ばいこくど》、といったほどの強烈な意味をもっている。

「攘夷ですよ」

竜馬は、反対のことをいった。

「坂本竜馬は、尊王攘夷のために死ぬつもりです。ただし、私の攘夷は、公卿や、一般の攘夷志士のようなそんな攘夷じゃない。例えばお田鶴さまはいまぬか袋を使っていらっしゃるでしょう」

「ええ」

「シャボンという便利なものがあります。世の常の攘夷志士は、シャボンをつかうと肌に夷臭がしみこむ、と申しますが、竜馬は、シャボンも使い、軍艦も使い、洋式火砲もつかい、革靴もはき、世界の列国とおなじ道具をつかった上で、日本をたてなおしたい」

「そのようなことをいうと、京都にうようよいる攘夷志士から殺されますよ」

「いや、今日《こんにち》の時勢でそんなことを申したところで誤解をうけるだけですから、時期がくるまで申しません。しかしお田鶴さまは、こちこちの攘夷屋さんでしょう？」

「主家の三条家が、いまでは天下の志士から攘夷の神様のように仰がれておりますもの。田鶴もむろん、その神様の侍女ですから、ぬか袋式の攘夷屋さんです」

「お田鶴さま、もうそのへんで」

竜馬は、もう閉口してしまっている。

「いいえ、お髪《ぐし》も洗ってさしあげます。このお頭《つむり》、煤だらけで、焦げ臭くて垢だらけで、田鶴はこんなお頭をみたことはありません」

「はあ」

「日本中の悪いにおいをみんなあつめてお頭のかたちにこしらえれば、きっと竜馬どののお頭になりましょう」

（ひどいことをいうなあ）

奇妙なことに、姉の乙女が少年のころに頭を洗ってくれた言い方と、そっくりなのである。

（女とは、みな同じことをいうのかな）

いや、竜馬に接していると、ついつい、どの女性も、同じことをいい、同じ仕草《しぐさ》になってしまうのであろう。

「お耳をふさいでいらっしゃい」

お田鶴さまは容赦なく、元結《もっとい》を解き、頭からざぶざぶ湯をかぶせた。

「ああ、真黒なお汗」

とにかく梳《す》いては垢をとり、梳いては垢をとって湯をかぶせているうちに、湯舟のなかの湯が、半分ぐらいに減った。とにかく、たいへんな頭である。

「このようなお頭をなさっていると、女子衆《おなごし》にはもてませぬよ。さあ、こんどは縁側へお出なさい。結《ゆ》ってさしあげます」

板の間に、お田鶴さまがこの家の女将《おかみ》にいいつけておいたのだろう、真新しい薩摩ガスリの着物、マチ高袴、帯、下着、下帯、までそろえてある。羽織だけがないのは、紋の入ったものをあとでこしらえてくれるつもりらしい。

それらを着けて、座敷の縁側に出た。

すでにお田鶴さまが、道具をそろえて待っている。

「さあ、そこへおすわりなさい」

武士の頭というものは、普通、男の髪結いか、若党などの家来がするもので、女に手を触れさせないものになっている。べつにさほどきびしい習慣でもないが、戦国の遺習で、武士の首は、敵の大将の見参《げんざん》に入れるものだから平素女人の手に触れさせない、というもっともらしい俗説がある。

ところが竜馬は、十四歳の元服以前はむろん、元服後ももっぱら姉の乙女に結ってもらっていた。

お田鶴さまは、それも知っている。とにかくなにからなにまで、女性の手にかからねば生きてゆけぬ青年のように思える。それだけに、竜馬の周辺の他の女性に対して、お田鶴さまは、このひとらしくもない嫉妬《しっと》を感じてしまうのである。そのくせ、

「竜馬どの、早くお嫁さんを貰いなさい」

と心にもないことをいいながら、きゅっ、きゅっ、と髪をしめあげている。

やがて、びんの締まったつややかな髷《まげ》ができあがった。

「窮屈で」

と、竜馬は両掌で、びんのあたりをぼさぼさにほぐしてしまった。これが、志士のあいだで有名な竜馬まげというやつである。ぼわっと、両側がふくれている。

膳《ぜん》と酒が出た。

「竜馬どの、ご馳走をしたからお説教をするのではありませぬが、あなたはすこしぼんやりしすぎているのではありませぬか」

「左様。――」

竜馬には、お田鶴さまの言おうとしていることがわかる。

「猖獗《しょうけつ》」

という漢語がある。どちらも、ケモノ偏がついている。辞典によると、「猛獣の狂いまわるように、はげしくあばれまわるさま」という意味だ。

京は、二流三流の「勤王の志士」が猖獗していて、毎日、血の雨が降っているような時勢だ。二流三流は「天誅」と称して人を斬り、四流志士は「攘夷御用」と称して、富商や本願寺などに押し込み強盗同然の強談《ごうだん》をして、御用金を巻きあげている。

(そういうものが勤王活動か)

と竜馬はおもうのだ。竜馬は断乎として、そういう「猖獗屋」のやりかたでは、討幕もできぬし、攘夷もできぬと信じている。

一流志士というべき薩摩の西郷、長州の桂などは、さすがにそういう類ではない。しかしおなじ一流でも、長州藩の連中は、

「猖獗的ふんいき」

にあった。

高杉晋作、久坂玄瑞、といった松下村《しょうかそん》塾《じゅく》系の若者は、胃の腑に火の玉をのみこんだ

ような行動をし、しかもこの藩は、公卿工作が巧妙で、京都朝廷は、長州藩にまるめこまれ、あたかも長州藩の出店《でみせ》のような観があった。

長州藩は、攘夷、あくまで攘夷、といった暴走主義である。だから公卿は大いに攘夷づき、

「洋夷などは日本の武力をもってすれば、一挙に打ちはらえる」

と信じこんでいた。

こんども、長州藩の久坂玄瑞、寺島忠三郎（いずれも蛤御門ノ変で自刃）らが公卿を動かし、幕府に対して、

「攘夷を決行せよ」

と天皇の命による催促を出させた。幕府の狼狽《ろうばい》、むざんなほどである。世界を相手に江戸幕府が戦争できるものではない。

「みなさん、ご活躍ですよ」

とお田鶴さまがいったのは、竜馬の盟友である久坂らのことである。

朝廷も、長州思想一色になりつつあり、佐幕派だった前関白《さきのかんぱく》九条尚忠《ひさただ》、和宮降嫁《かずのみやこうか》に尽力した岩倉具視《ともみ》（のち討幕派に転換）、千種《ちぐさ》有文らは謹慎を命ぜられ、かわって、お田鶴さまの主家の若当主である三条実美ら急進過激の攘夷思想家が勢力を得はじめ、長州藩がその背後で策謀し、このままでは、朝廷・長州による、

「京都政府」

ができあがりそうな勢いであった。

この間、かつての勤王先鋒だった薩摩藩は、しずかに兵備をととのえて時勢を静観している。かれらは、長州藩が天皇を擁して幕府にとってかわるのではないかと疑っていた。

さらに、将軍上洛。

自然、幕府首脳部は京都に移った。

京都の情勢はこんとんとし、たとえば新選組が誕生するのも、このころである。

「竜馬どのは、御屋敷に来る諸藩の有志（志士）のかたがたのあいだでも、よくおうわさにのぼりますよ」

公卿の三条家は、故主実万、当主の権中納言実美、父子二代つづいて尊王攘夷の家だから、京の志士の希望の星であった。

自然、屋敷は志士のサロンになり、過激世論の中心になっていた。

そのなかで、

「土佐の竜馬が」

とか、

「海南の坂本竜馬」

とかいったうわさが出る。かれら攘夷志士は、竜馬に期待するところが多い。

その竜馬が、ひそかに開国論者に変色しているのである。

しかも幕臣の勝にくっついている。敵に奔《はし》ったようなものだ。普通なら、仲間に斬られるところである。

が、竜馬はずるい。

「攘夷討幕の方便《ほうべん》だ」

といっている。いま京は、急進攘夷論が猖獗しているまっ最中だから、そういうときに異論をとなえても仕方がないのだ。

（時期がくる。それまでは沈黙して、ただ行動準備をしているにかぎる）

と、竜馬はずるくやっている。もともと、鈍なようにみえて、肚の中は一筋縄ではいかぬものを秘めている男だ。

肚は、みせない。

開国論者は、京では大根のように斬られてしまう。斬り手は、「人斬り三人男」といわれた土佐の岡田以蔵、薩摩の田中新兵衛、肥後《ひご》の河上彦斎《げんさい》、といった連中で、その亜流の有象無象《うぞうむぞう》も、

「天誅を加える相手はないか」

と、蚤取り眼《のみとりまなこ》でさがしている。かれらは、それが勤王興国、攘夷興国の唯一の方法だと信じている狂信者である（かれらが京をほとんど無警察状態におとしこんだから、幕府は新選組、見廻組といった、見敵必殺の武装警察をつくったのである）。

ところが、その連中が、竜馬にだけはどういうわけか、坂本先生、坂本先生、と慕い

寄ってくるから、竜馬はまったくずるい。

ずるい、というよりも竜馬は、心の底からかれらを可愛がっていた。以蔵などを見るときの竜馬は、沁《し》みとおるようにやさしい眼をする。こういうことは天下国家についての議論以前の、人間としての問題らしい。

かれらも、

（竜馬に愛されている）

ということがわかった。かれらは共通して、根が単純、性格が勁烈《けいれつ》なだけに、直感でわかるし、わかれば哀しいほどに慕ってしまうところがある。

「とにかく」

お田鶴さまはいった。

「竜馬どのは、間違った道に踏みはずしそうで、心配でなりませぬ」

「お田鶴さま」

竜馬は酔って、つい高言を吐いた。

「時流に同調することが正道ではない。五年後には、天下靡々《ひひ》としてこの竜馬になびくでしょう」

「ところで、竜馬どの」

お田鶴さまは、さきほどから気づいていてわざと質問しなかったことをきいた。

「お腰のものは、どうなされたのです」

「火事場でわすれましてな」

竜馬も、多少気にはなっていた。

もしあのままどさくさでなくなったとすれば、陸奥守吉行《むつのかみよしゆき》の一刀だけは悔まれる。あの刀を脱藩人竜馬に貸し与えたために、婚家から問責され、次姉お栄は自刃しているのである。

(あの刀には姉の恨みがこもっちょる)

竜馬の脱藩のために、次姉お栄が死に、三姉乙女が離婚して実家にもどった。坂本家の姉たちが末弟竜馬の「国事奔走」にかけた期待は大きく、同時にその犠牲も大きすぎた。その願望と悲惨のすべては、あの陸奥守吉行の一刀に象徴されている。

「武士の魂を置きわすれるとは、竜馬どのもこまったものでございますね」

竜馬は、むっと不快な顔をした。この男にはめずらしいことである。

「怒ったの?」

「……」

竜馬は、さばのなますを箸でつまみ、口に入れ、無言のまま丹念に噛んでいる。

(ひとが気にしていることを、おっかぶせるようなやつは、おれはきらいだ)

口に出せば、そうどなりそうなふくれっ面《つら》である。

「刀は武士の魂ではない」

と竜馬は、眼をすえていった。

「道具にすぎぬ。道具を魂などと教えこんできたのは、徳川三百年の教育です。戦国の武士は刀を消耗品と心得、人によっては何本も用意して戦場に出、折れれば捨て、脂《あぶら》で切れ渇《や》めば砥石《といし》でごしごしといで使った」

「それと、火事場で置きわすれたことと、どういう関係があるのです」

「武士の魂、とおっしゃるからですよ。火事場にわすれたのはわしの不注意にすぎぬ。しかし魂はここにある」

と自分の胸から腹へかけてなでおろし、

「刀にはない」

といった。が、表情は暗い。

姉のお栄の悲惨な自害をおもいだしている。

「竜馬どの」

「なんです」

「利口ぶったお説教などしてごめんなさい」

お田鶴さまは、あやまったのではない。竜馬の表情の暗さにおどろいてしまったのである。

(わるいことをいってしまったらしい)

が、妙な偶然がおこった。

この刀問答をしている真最中に、陸奥守吉行が明保野亭の玄関に出現したのである。

娘が、持参していた。

例の楢崎将作の遺子、というあのときの娘である。

「坂本さまとおっしゃる土佐侍従様御家来がこちらにいらっしゃるでしょうか」

明保野亭の男衆《おとこし》も、あとで応接に出た女将《おかみ》も、この娘の美しさに眼をみはった。

竜馬の生涯を彩《いろど》った楢崎お竜《りょう》の登場は、このときからである。


「竜馬どの。その娘さんをここへお招《よ》びしたら？」

と、お田鶴さまがいった。

どちらでもいいことだから、竜馬は、ぬらぬらした態度で、肴《さかな》を嚙《か》んでいた。

「左様、まあな」

娘がはいってきた。

入り口にすわって、三ツ指をつき、鄭重に頭をさげた。根のひくい「つぶし」といわれる娘々した島田まげを結い、小ざっぱりしたとめつめ小袖を着ている。

顔をあげた。

きらっとした眼である。

唇《くち》もとが怜悧そうで、あごがひきしまっている。

美しい。お田鶴さままでが、ぼう然と息をのんだほどの美しさである。

話が先へさきばしるが、彼女を見た実見者の遺談をしるしておこう。

当時の土佐藩士で、のちに参議、枢密顧問官、侯爵をさずけられた竜馬の盟友（竜馬は多少軽侮していたようだが）佐佐木高行はこの娘について、

「有名の美人で、善悪ともなしかねまじく見えた」（佐佐木老侯昔日談）

語り手の高行は、おだやかな性格で、どこからみても天才性がなく、ものの見方も、多分に固陋《ころう》なところがあり、この娘のような、一種きらきらとした才気、あるいは、妖気。

あるいは、見当もつかぬ発想法。あるいは人を人臭いとも思わぬところ。あるいは、あたまから古いしきたりを受けつけぬ奇妙な性格、――そのくせ、

「女傑」

ではなく、女傑ほどの生産性（妙な言葉だが）がない。そういう点で佐佐木高行は直感して、

「善悪ともなしかねまじく」

といったのであろう。才女すぎるのである。

竜馬自身が姉の乙女に出した手紙では、

「まことにおもしろき女にて、月琴《げっきん》をひき申し候」

といっている。「まことにおもしろき」というほか、当時、「才女」というものを表現する言葉がなかったのであろう。しかも「月琴をひき申し候」というほか、彼女の才能

をあらわすことばがない。

さらに竜馬は、手紙でいう。

「年は二十三。もと十分大家《たいけ》にて、花生《い》け、香を聞き、茶の湯などは致し候へども、一向かしぎ奉公《ぼうこう》（炊事仕事）などすることはできず」

と評している。

お田鶴さまは、ちらりと竜馬をみて、軽痛《ちく》っと腹が立った。竜馬が、娘の美しさにぼんやり見惚れているのである。

それに、いま一つ腹の立つことがある。娘は、だまったきり、名も名乗らないのだ。

たしなめるように、

「名はなんと申されます」

「はい、竜と申しまする」

これには、竜馬のほうがおどろき、

「わしと同じ名じゃ」

と、馬鹿声をあげた。

よほど、感嘆したのである。

お竜。

ただしくはそう書くべきだが、どうも竜馬の名とまぎらわしい。竜馬自身でさえ、乙

女に書き送った手紙に、

「私に似てをり候」

と苦笑しているから、この物語では、

「おりょう」

とひらがなで彼女をよぶことにしよう。

ちなみに、竜という字は、正しい漢音はリョウであり、いわゆるリュウは俗音である。江戸時代、江戸では、リュウとよみ、京から西の諸国ではリョウとよみならわした。

竜馬は、あくまで、

リョウマ

であった。西郷隆盛などは、はじめリョウマの文字がわからなかったらしく手紙では、

「良馬《りょうま》」

とあて字をかいている。

とにかく、おりょう。

「とんだご災難でございましたね」

とお田鶴さまが同情してやると、

「はい」

と、答えただけであった。よけいなあいさつ言葉をいわない娘らしい。

「いまは、どこにいらっしゃいます」

これには、はきはき答えた。

「あの、宿でございますか」

「そうです」

「亡父が懇意にしておりました関係上、寺町の知定院《ちじょういん》に厄介になっております」

「ご家族は？」

お田鶴さまは、取調べのようである。

おりょうのいうところでは、老母のほかに十六歳の弟太郎、十二歳の妹君江、九歳の次郎、それにおりょう。

五人家族であった。

「ほほう」

「されば、何で食うちょらるる」

「収入でございますか」

と、おりょうは、キラリと竜馬をみた。

「ございませぬ」

「それは気の毒」

竜馬は、むきになった。ひざの上を掻きむしるようにして同情しているあたり、田舎者まるだしの身の入れかただ。

「竜馬、俠気ハナハダツヨシ」

友人間でいわれているとおり、焼け出されたおりょうの一家の苦境をおもうと、じっとしていられぬ気持である。

「借金はござるか」

と、突っこんだことを訊いた。

「竜馬どの」

お田鶴さまはたしなめたが、もうそのときには、おりょうはスラリと答えている。

「ございます」

「いくら」

「五十両でございます」

それも、たちのわるい借金らしい。

その夜、竜馬は、なんとなく不得要領でお田鶴さまとわかれた。

すぐ、藩邸にもどった。

このところ、竜馬はひどくいそがしいのである。

藩邸の下級武士をつかまえては、

「おンし、海軍にはいらんか」

とすすめてまわっているのだ。

みな、驚く。

「なんの海軍です」

おれの海軍じゃ、とはいいにくい。

じつは、すでに勝海舟と約束して、兵庫の地（いまの神戸）に、いわば私立の海軍学校をつくろうとしていた。

竜馬の構想では、いま京にあつまってさわいでいる勤王浪士、つまり「東山三十六峰に剣戟の響き」をたてることのみを能としている連中をあつめて、海軍を組織しようとしているのである。

むろん浪人だけではなく、諸藩の血気の藩士をもあつめる。

（国事ばかりを論じていて何になる）

竜馬は、具体的なことが好きなたちの男であった。天下に、勤王、攘夷、開国、倒幕、公武合体、さまざまな議論がうずまき、志士は八方に奔走して、当時の流行語でいえば、「時務《じむ》」

を論じている。

「天下トウトウとしてかくのごとし。しかし議論だけで外夷の侵入をふせげるか」

竜馬はそういった。

攘夷の大本山格の武市半平太でさえこの意見に賛同し、竜馬を詠《よ》んだ自作の詞をみなに示した。

肝胆《かんたん》モトヨリ雄大
奇機オノヅカラ湧《わ》キ出《い》ヅ
飛潜《ひせん》ス誰《たれ》カ識《し》ルアラン
ヒトヘニ竜名ニ恥《は》ヂズ

武市は、例の人斬り以蔵にさえ、

「おンしも、竜馬の海軍に入れ」

とすすめたほどである。よほど感心したのであろう。

しかし、海軍学校をつくるには、練習艦も要るし、器材も要るし、校舎も要る。とにかく、いかなる学校よりもばく大な金が必要なのである。

(金ぐらいなら、おれが集めてやる)

竜馬はこの募金に、決死の勇を賭《か》けた。たとえば武市半平太が、藩論転換と佐幕派名士の暗殺に生死を賭《と》しているように、竜馬の決死の相手は、

「金」

これ以上に具体的なものはない。

練習艦は、幕府から勝の力で借りることができるだろう。

勝自身も、この学校建設のために大いに幕閣を口説いていた。

このころの勝の日記にある。

「土州の者数輩《すうはい》、わが門に入る。竜馬子と形勢の事を密議し、その志を助く」

海軍学校は、勝を校長とするのが竜馬の構想で、その準備として土佐藩士をどんどん勝の門人とした。学校よりもまず生徒をつくって既成事実としたのである。

海軍学校というえたいの知れぬものを作るのに、竜馬はまったくいそがしかった。

この連絡のために京都滞在中の勝海舟にも、毎日会った。

「ほぼ、政事総裁には諒解をとりつけてある」

と勝がいったのは、文久三年の三月のなかばであった。

「むずかしいところは、幕府にも正式海軍があることだよ。それに、これをやるのが、幕府役人から嫌われているおれだ。まあとにかく、将軍様《うえさま》とじか取引きするつもりだ」

幸い、勝は、近く将軍家茂《いえもち》の内海視察に軍艦奉行並として随行し、海上防衛をつぶさに説明することになっている。

「そのときは将軍もおれも波の上だから、余計な頑固頭がそばにいない。意見も申しあげやすかろう」

「なにぶん、よろしく」

「お前さんに頼まれなくてもやるさ」

竜馬は竜馬で、藩の重役にはたらきかけていた。

藩士とはいえ、郷士の格では藩の重役に直接交渉することはむずかしい。

だからまず家中きっての学者で名のひびいている間崎哲馬（号は滄浪《そうろう》）が京都藩邸にいたので、これを説得した。間崎は、武市半平太と同志で、このころから数カ月後の文久三年六月、その過激行動で罪を得て、切腹せしめられている。

「間崎さん、お前《まん》は、重役からさえ、先生々々といわれている身じゃ、わしの口からいうより、お前の口からのほうがもっともらしくてよい」

と、海軍学校建設の必要を力説し、

「土佐藩としては藩命によって藩士を入校させるようにしてくれ」

「その海軍学校とは、幕府肝煎《きもいり》ではないか」

「何をいうちょる。たれがどこの金で作ろうと、学校は日本の学校じゃ。わしは、この学校の分校を朝鮮と清国（中国）にもつくり、日本、朝鮮、清国の連合艦隊をつくって洋夷《ようい》侵略からの防波堤とし、さらに三国の連合政府をつくり、ヨーロッパとアメリカに負けん文明を作ろうと思うちょる。わしの胸中には幕府も土佐藩も、一視同仁《いっしどうじん》の子供にみえるぞ」

この大法螺には間崎も閉口したが、しかし竜馬の終生の理想は、討幕・統一国家というだけでなく、アジア連邦政府をつくろうとしているところにあった。むろん、勝海舟の影響によるものであった。

とにかく、藩では、竜馬の意見を採用し、藩士のうち海軍練習の志望者を藩命によって勝にあずけることにきめたほか、藩から月手当二両を支給されることになった。

この多忙な期間のある日、ふと、

（楢崎のおりょうはどうしちょるじゃろ）

と、竜馬は寺町の知定院をたずねた。

そこに焼けだされの一家が間借りしているはずであった。

「離れは、見苦しゅうございますので」

と、楢崎の老未亡人は、寺の方丈を借りてそこへ竜馬を通した。

よほど世馴れぬひとらしく、この悲境にぼう然としている様子である。おりょうに似て色白な老婦人だが、人柄はこの母親のほうがよほどまるい。

「おりょうどのは？」

「大坂へくだっておりまする」

ぽつん、と会話がきれる。

「京に、頼りになるご親戚でもござるか」

「いいえ」

と、それっきり。

竜馬がくわしくききだすと、どうやら一年ほど前から五十両の借金の取りたてに、やくざ者が楢崎家に出入りしていたらしい。

「その者が、焼けてからこちらへやって参りまして、暮らしのたつようにしてやる、とわたくしに持ちかけ」

「ふむ」

竜馬はうなずきながら、鼻の穴に指を入れた。

鼻の穴をほじくりほじくりきいていると、まるで、講談にでもあるような話である。

この話を、竜馬が国もとの乙女姉さんに書きおくった手紙で物語ってみよう。

「十三の女《むすめ》はことのほか美人なれば、悪者、これをすかし島原の里へまひ子（島原遊里には舞妓《まいこ》はなかった。カムロのつもりであろう）に売り、十六になる女はだまして母にいひ含めさせ、大坂にくだし、女郎にうりしなり」

竜馬は大まかだから、この家族の年齢は実際とはすこしちがうらしい。

「男子は粟田口《あわたぐち》の寺へつかはせしなり」

とにかく、一家離散である。

ところが、長女のおりょう二十三歳は、火災直後、ほうぼうへ金策にかけあるいて、妹が売られてしまったことをあとで知った。

「自分の着物をうり、その銭をもちて大坂にくだり、その悪者二人を相手に死ぬる覚悟にて刃ものをふところにして」

とは、竜馬の文章だ。以下、竜馬は数日たって事態のすべてを知ったが、このことを竜馬自身の文章で語ってもらおう。

「けんくわを致し」

——女だてらに。

「とうとう、(おりょう) あちのこちの (土佐弁) と云ひつのりければ、悪者、腕にはほり物 (いれずみ) したるを出《いだ》しかけ、べらぼう口にておどかしかけしに」

ところが、

「もとより此方《こなた》(おりょう) は死の覚悟なれば、飛懸《とびかか》りてその者の胸倉《むなぐら》つかみ、顔したたかなぐりつけ」

竜馬の描写も不粋のきわみだが、おりょうも勝気すぎるほどの娘である。

「悪者曰《いわ》く、女のやつ、殺すぞといひければ、女曰く、殺せ殺せ、殺されにはるばる大坂に下《くだ》りて居る。夫《それ》は面白い、殺せ殺せと云ひけるに、さすが殺すと云ふわけには参らず、とふどふ (とうとう)、その妹を受取り、京の方《かた》へ連れかへりたり。珍敷《めずらしき》事なり」

一段落ついてから、おりょうが、土佐藩邸に竜馬を訪ねてきている。河原町の土佐藩邸の門前に、菊屋という書籍屋がある。当時の河原町通というのは、いまの市電通りになっているような広いものではなく、三人手をつなげばいっぱいという路幅であった。河原町筋の東側は、北から数えて、長州、加賀、対馬の藩邸がならび、三条からさがれば彦根、土佐藩邸。

そのむかい (西側) のならびは、やはり北から数えて、日蓮宗の名刹《めいさつ》妙満寺、おなじく本能寺《ほんのうじ》、浄土宗の巨刹《きょさつ》誓願寺、以下寺町がびっしりとならび、町家は、諸藩邸のある東側に多く、町の性格上、書籍屋、道具屋などが点々と店をならべている。

河原町四条上ル菊屋はそのうちの一軒で、竜馬がひどく愛した店である。ここで書物も買ったが、それよりも、菊屋のせがれ峰吉という利発な少年を可愛がっていた。当時、十三歳で、このひとは維新後鹿野安兵衛と名をあらため、大正中期までは健在であった。

そんなことで、菊屋の奥座敷はこのころの竜馬の応接室のようになっていた。

竜馬は、藩邸で女性と会うわけにいかないから、この菊屋の奥座敷につれて行って対面した。

「まあ、どうぞ」

と、座ぶとんを敷かせ、峰吉に菓子を買いにやらせた。

(きれいなひとだ)

と、子供心にびっくりしたという。

竜馬も、内心、おりょうがすっかり好きになっている。

おりょうも、竜馬という男に、最初から心を奪われてしまっているらしい形跡があり、この菊屋でも、口もきけずにうなだれ、ひざの上のタモトばかりをいじっていた。

「…………」

と竜馬は竜馬で妙な気分で、中庭をみたり、床ノ間の掛軸をみたりしている。

やがて、ふと思って、

「おりょうどの、懐《ふところ》ろ鏡はおもちか」

ときいた。

「はい」

おりょうは、当時祇園《ぎおん》などではやっていた小さな鏡を差しだした。

そこへ峰吉が帰ってきて、子供心にこの光景が、妙に印象的であった。

双方、だまっている。

竜馬は、懐ろ鏡で、自分の顔をしみじみとのぞきこんでいた。

あとで峰吉が、

——先生、なぜお顔をごらんになっていたのです。

ときくと、竜馬は急に声をひそめ、大真面目な表情で、

「婦人に惚れた、という顔はどんな顔じゃろうと思うた」

といった。

とにかく竜馬は、

「あすの午後、もう一度この菊屋にきてください。ご一家の将来が立つように、及ばずながらこの竜馬がお力になります」

と、おりょうを帰した。

そのあとすぐ、竜馬は藩邸から馬を借り、伏見へむかって駈けた。

伏見では、船宿寺田屋の前まで乗りうちし、

「やあ、坂本だァ、お登勢《とせ》さんはおるか」

と、馬上から土間をのぞきこんだ。

男衆が走り出てきて、口輪《くちわ》をとった。

「あっ、坂本様。おかみさんが、このところちっともお見えにならぬ、とこぼしておりましたよ。どうなさっています」

「京で、チクと忙しいことをしちょるんじゃ」

京と大坂の往きかえりには、この寺田屋に立ち寄るのは、竜馬ならずとも、旅人の何割かはそうである。

が、ちかごろは薩摩藩士の京大坂往来がはげしくなっているため、同藩では、伏見の藩邸のほかにこの寺田屋を定宿《じようやど》として指定するようになっていた。

竜馬がこのころ、国もとの坂本屋敷で余生を送っている自分の乳母「おやべさん」に書き送ってやった手紙にも、

「伏見にてお邸（伏見土佐藩邸）のそばに宝来橋と申すへんに、船やどにて寺田屋伊助」

と、寺田屋の地理を説明し、同時にときどきとまる伏見京橋の旅籠《はたご》日野屋孫兵衛のことも書いて、

「この両家なれば、私がおくに（故郷）にて安田順蔵（高松順蔵・安芸郡の郷士で医者。長姉千鶴の婚家。竜馬は少年時代によく遊びに行った）の家のやうな心持にてをり候《そろ》。またあちらよりも大いに可愛がりくれ候間《あいだ》（中略）」

とかき、親戚同然のつきあいだ、と幼児のころの乳母に自慢している。

ついでだからこの手紙の要旨は、

「ときどき手紙をくれ。ところが当方は諸方を転々としているから、宛てさきはこの伏見の寺田屋か、日野屋にしてもらえばいい。両家づきあいだから」

ということだ。子供のころ、人一倍甘ったれ子だった竜馬は、諸方を駆けまわりながらも、国もとのおやべ婆さんがわすれられなかったらしい。

おやべさん　　竜

というのが、手紙の末尾である。

さて、無駄ばなしがすぎたが、ついでだからもうひとつ、二つ。

勝海舟の筆記にも、竜馬と寺田屋のことに触れ、

「寺田屋は、竜馬子、このやどに居ることしばしばなり。主婦は奇女にて、よく竜馬子を知れり」

知れり、とは理解していたという意味。

竜馬の家郷への手紙にも、

「これは学問ある女、もっとも人物也」

とある。

そのお登勢が表まで出てきて、

「おやおや、お馬で。なにごとどす」

と、京言葉でいった。

「いや、年は二十三。美人だぞ。ただし針仕事、台所仕事はできぬ。名はおりょうというのだが、この娘を養女にもらってくれぬか」

「なんです、藪から棒に……」

「いや事情はいずれ話す。あす、当人を寄越すから、養女の一件、いま返事」

「返事をせい、というなら仕方ありません。養女に頂戴します」

竜馬の馬は、もう砂塵をあげて竹田街道にむかって駈けていた。

勧進橋《かんじんばし》を馬で駈けわたったときは、すでに西山の残照も消え、日が暮れはてていた。橋のたもとの茶屋で降りて、提灯を一つもとめ、ついでに冷酒を一ぱい所望した。

(どうも、恋をしたらしい)

竜馬は、ぼんやり茶屋のおやじの顔をみている。

おやじは、用かとかんちがいしたらしく、

「なにか……」

と、腰をかがめた。

「いや、惚れたのよ」

ぐっと酒をのどに入れた。

「へえ？」

「ああ、こっちのことだ。ついでだから、そこのタクアンの煮あげたやつをくれ」

「へい」

鉄釉《てつぐすり》でぼってり焼きあげた丹波の百姓焼容器にそれをいっぱいに盛りあげてもってきた。

妙な食いものだ。

土佐、薩摩というところは素朴な動物性の食いものを好む土地だが、京はさすが千年の王城だけに、こみ入った奇妙な食いものをつくる。

これなど、その尤《ゆう》なるものだ。よく漬けたタクアンをもう一度水でもどし、そいつを干雑魚《ほしざかな》をだしにし、赤唐辛子を加えて煮あげたものである。存外な風味があり、口あたりもいい。しかし栄養にもなにもならぬものだ。

(惚れたなあ)

われながら感心した。竜馬がいったい、いままで、女性のためにこんなに大汗をかいて親切にしてやったことがあるだろうか。

(惚れたよ)

酒をのんでいる。

竜馬のすきな女性のタイプは「男まさりで才気があって」という姉の乙女に似たひとにかぎられている。

千葉家のさな子。

家老福岡家のお田鶴さま。

みなそうである。

ところが、彼女たちは、それぞれ独立した人生をもっていた。さな子は、北辰一刀流の皆伝で剣術がごはんよりすきだという娘だし、お田鶴さまは、出自《しゅつじ》も大藩の家老の息女、いまは三条家の臈女《ろうじょ》として彼女なりに国事が好きで、どちらも、竜馬が救ってやらねばならぬ、というところがない。

竜馬が、彼女らをどうとかしてやらねばならぬどころか、彼女らのほうが竜馬を、

——なんとかしてあげねば。

と可愛がってくれる。男女逆である。

しかしこんどのおりょうは、やはりおなじ型《タイプ》ながら、悲境にある。

竜馬の義俠以外に、彼女とその家族はすくわれないのである。

一国を救おうというのも、一家を救おうというのも、おなじ気質から出るものだ。ご

く気質的なことである。

だから竜馬の気質は、この「恋」に大いに快感をもったのは、いままでこの「気質」を満足させてくれる女性にめぐりあったことがないからであろう。

はて、「恋」といえるかどうか。


そのまま馬上、京に入り、寺町の知定院の山門で馬を降り、その口輪を持ったまま、

「楢崎家のひと、楢崎家のひと。チクと門前に出て賜《たも》らんか」

と、門内へよばわった。

おりょうが走って出た。

「まあ坂本さま、お入りくださいまし」

「いやいや、話はどこでもできる。さて、あす菊屋で会おうと申しましたが、いま伏見へゆき、存外に早くかたがついた」

「…………」

「おりょう殿は、寺田屋の養女」

寺田屋といえば、天下にきこえた船宿である。おりょうはおどろいた。

「おかみのお登勢さんと申すは、わしの姉のようなおひとだ。あす、菊屋の峰吉をつけるゆえ、伏見へ行ってくだされ。母御、ご弟妹のことは、おいおい考える」

といいながら、竜馬は、ふところから懐紙でくしゃくしゃに包んだものを渡した。

金十両が入っている。

国もとから乙女姉が送ってくれたものだ。

「これは何でございましょう」

「おれの姉がくれたものさ」

ひらりと馬上にもどった。

「こ、これは頂くわけにはいきませぬ」

「何いってやがる」

竜馬は、嚇《か》っと咆《ほ》えた。咆える以外にこの照れくささをまぎらわせる手がない。

「要るもんは要るんだ。そんな口上は、この急場が落ちついてからゆっくりやってくれ」

手綱をしぼって、馬頭をめぐらせた。

「あ、待って」

気のつよい女だ。馬の口輪にしがみついてきた。馬が、後ろ足を足掻《あが》かせた。馬に馴れぬ者にはおそろしいはずだが、おりょうにはそんな余裕がないらしい。

「待ってください」

「なんです」

と、竜馬が馬上で訊きかえした。

が、おりょうも取りみだしている。なにをいっていいのかわからない。

「な、なぜ」

と、くだらぬことをきいた。

「なぜわたくしども一家に、そのような御親切になさってくだされるのです」

「馬、馬鹿モン！」

竜馬は、どなりつけた。ひらきなおってそう反問されると腹の立つものだ。おなじ意味で、

――なんのために身の危機をかまわず国事などに奔走なさるのです。

と反問されるようなものだ。こうひらきなおってきかれれば、なにやら阿呆あつかいにされたような気がする。武市も桂も久坂も高杉も、おそらくこんな場面ではおなじだろう。

――それが、漢《おとこ》じゃ。

と、岡田以蔵のような単純血気の男なら、鍔《つば》を鳴らしていうところ、であろう。おりょうには、漢というものがわからないのであろうか。

「ば、ばか」

と、竜馬は、鞭をあげて、口輪をつかんでいるおりょうの白い手を撃った。

あっ、と放した。

そのすきに、竜馬の馬は、すっ飛んでしまっている。

伏見へ三里。

こんにちこそ京都市伏見区で、距離感もさほどではないが、当時は京の婦人など、生涯伏見へ行ったことのないひとが多かった。

その翌日、竜馬がおりょうに約束したとおり、寺町の知定院へ峰吉少年がたずねてきて、

「さあ、お支度、お支度」

と、せきたてた。

門前へ出ると、駕籠が一挺、用意されている。

「駕籠なんて、ぜいたくすぎます」

「いや、竜馬先生が、おりょう様は足弱《あしよわ》だから駕籠を用意してお迎えにゆけ、とおっしゃったものですから、乗っていただかないとこまります」

と、峰吉は、いかにも中京《なかぎよう》っ子《こ》らしい品のいい京言葉でいった。

(わたくしを足弱?)

おりょうは、駕籠に押しこまれながら首をかしげた。

駕籠が、走りだした。

(坂本さまは、なにか勘ちがいしていらっしゃる。きっと、わたくしを楚々《そそ》とした京娘だとおもっていらっしゃるのだ)

娘のかんで、竜馬が自分に好意以上のものをもっていることを感じている。

(しかしわたくしを)

竜馬は誤解している。おりょうの察するところ、その美化された誤解のうえで竜馬の

恋はなりたっているようである。

外貌、おりょうは楚々とした京娘で、誤解されても仕方のないところがあった。

伏見寺田屋へついた。

おかみのお登勢は、

「ああ、おりょうさんですね」

と、ふくぶくしく微笑して、手をひくようにして土間からあがらせ、奥の一室に案内した。

「ここは、あなたのお部屋」

と、お登勢は、おりょうをすわらせた。

「そのお座ぶとんも、そのお湯呑も、そこの鏡も、衣桁《いこう》も、みなあなたのものですよ」

(まあ)

狐につままれたような顔で、部屋のなかを見まわしている。

「でもね、坂本様というのはああいうおひとですから、養女にしろ、しろというだけいって、まだご事情をきいていないのですよ」

「ええ、わたくしも」

ちょっと、こまっている。

竜馬がひとり合点で、さっさとおりょうの境遇を一変させてしまったのだが、かんじんのおりょうがついて行けなくてとまどってしまうのである。

（暴風に遭《あ》っているようだ）

と、ぼう然としている。

第一、きょうからお養母《かあ》さんになるというお登勢に、こうして会っていても、すぐ実感がおこるはずがないではないか。

お登勢に問われるままに、身の上ばなしをした。

「まあ、可哀そう。……」

俠女といわれるだけに、お登勢は涙もろくて、袖で眼をぬぐったり、せきあげたりしながら、話をきいている。

これには、話しているおりょうのほうが気の毒におもうほどであった。

「おりょうさん」

と、お登勢は、むらむらと持ちまえの俠気がわきあがってきたらしい。

「ご家族をみんな連れていらっしゃい。ここで一緒に暮らしましょう」

「でも」

「いいんです」

おりょうは、他人の過度な同情はうけたくはない。

「よくはありませんよ。あなたを養女にする以上は、楢崎家の御家族は、私の肉親です。第一、この船宿という稼業はね、さあ入船《いりふね》、出船《でふね》というときにはもう戦さのようで、何人人数がいても足りないんです。みんなで寺田屋をやってゆきましょう」

「みんなで？」

「ええ。伏見の寺田屋というのは、天下の共有でお登勢のものじゃありません。だから、みんなでやっていきましょう」

お登勢は、うまい。

変に同情を売りつけるような態度は毛ほどもみせず、さばさばといった。

その日は、お登勢にすすめられて、とまることにした。

なるほど、いそがしい。

ちょうど日没後、京都から薩摩藩士が二十人ばかり寺田屋に入った。

未明の船で大坂へくだる客である。

このやどは奇妙な構造になっていて、おおぜいの客のときは、二階の間仕切《まじき》りの壁、ふすまをぜんぶとっぱらってしまう。壁は、板に布を張ってはめこみになっており、取りはずしがきくのである。

「ほんと、いそがしいですねえ」

おりょうは、眼をまるくしてお登勢にいった。

「うそじゃないでしょう？」

「わたくし、勝手がわかりませんけど、お手伝いします」

「くたびれないようにね」

そのあと、おりょうは、台所から二階へ何十度あがったか、数えきれない。

配膳。

入浴の整理。

そのあと、ずらりと床を敷く。

おりょうは、十数人の婢女《はしため》にまじって、懸命にやった。

峰吉も手伝っている。

おかみのお登勢は、帳場にすわって、指揮をしている。

ふと、

(あの娘、できるな)

とおもった。指図が、である。

ひどく活動的な娘で、しかも動きにいちいち智恵が入っていて、ソツがない。

すぐ帳場をまかせられるようになるだろうとおもった。

(頭のいい娘だ)

客の食事がおわったあと、お登勢はおりょうをつれて二階へあがった。

「娘のおりょうでございます」

と、薩摩藩士たちにひきあわせた。

みな好感をもったらしい。

「美人じゃのう」

と、薄あばたのある、顔の大きな若者が声をあげた。のちに日露戦争の満州軍総司令官になった大山弥助（巌）、二十二歳。

おりょうは、こののち、

「寺田屋のおりょう」

と称せられるようになる。

伏見で一泊した翌日、おりょうは菊屋の峰吉といっしょに京へもどった。

「峰吉さん、さっそく坂本さまにお礼を申しあげたいのだけど、藩邸にいらっしゃるかしら」

「会うのですか」

峰吉は、歩きながらおりょうを見あげた。

「ええ」

すこし赤くなっている。

「では見てきます。おりょうさんは、私の家で待っていてください」

峰吉は、河原町藩邸へ駈けこんで、竜馬の在不在をきいた。峰吉は藩邸では顔がひろい。ところが、たれをつかまえてきいても、

「ここ数日、見えんぞ」

と、いう。

「どこへいらっしゃいました」

「あの男のことだ。どこをどう走っているのか、見当もつかん」

峰吉は、邸内の長屋々々をたずねまわっていると、例の学者の間崎哲馬にあった。

「おお、峰吉か」

「坂本先生はどこへいらっしゃいました」

「越前（福井県）へゆく、ちゅうて、きのうの朝、出かけてしもうたわい」

事実、竜馬は、旅の空にある。

昨夜は近江草津ノ宿《しゅく》で一泊し、琵琶湖の東岸の中山道《なかせんどう》の松並木を、おっそろしく早い足で北上していた。

供には、数日前に藩邸をたずねてきた寝待ノ藤兵衛をつれている。

「いい道中日和《びより》でございますねえ」

真っさおな空の下に、北は伊吹、西は比良の連山が遠霞《とおがすみ》にかすみ、あとは水。

右手は、蓮華草《れんげそう》のさく近江の野。

「旦那、もうすこしごゆっくり」

と、ちかごろめだって肥りだした藤兵衛には、竜馬の早脚がこたえるらしい。

「いそぐんだ」

日暮までに十一里を歩ききって、北国街道への分岐点である鳥井本《とりいもと》の宿場までゆこうというのだから、走っているようなものだ。

「いったい、どこへいらっしゃるんで」

「越前福井」

「それはわかっています。福井のどこへいらっしゃるんです」

「城」

「へーえ、なにをしに」

「殿様に会う」

藤兵衛は、だまった。土佐藩でも虫ケラ同然の下級藩士で、自分の藩では殿様への拝謁権をもっていない竜馬が、御三家に次ぐ家格の大名に会えるものかどうか。

「会って、どうなさるんで」

「金を借りる」

ますますおどろいた。

「立ち入ったことをきくようですが、いくらでございます」

「五千両」

正気の沙汰ではない。

が、竜馬はけろりとしている。

「旦那は、とほうもねえひとだな」

と、藤兵衛は、彦根の城下の灯が左手にみえるあたりまできて、おもいだしたようにいった。

「なぜだ」

竜馬は、提灯の灯《ほ》あかりのなかで脚をせっせと動かしながら、いった。もうここが地蔵の辻だから鳥井本の宿場まで、あと一里というところだろう。

「大名に五千両の大金の無心をするなんざ、河内山宗俊《こうちやまそうしゅん》でもきもをつぶしますよ。いったいその金でなにをなさるんです」

「軍艦の塾」

それも、私立の。

すでに、勝が幕府のゆるしをうけて、兵庫の生田《いくた》というところに校舎建設の敷地もきまっている。

金が足りない。

だから越前福井の殿様に無心にゆくというのである。

「わかったか」

「へい……」

わかったような、わからぬような。

(相手はお大名だぜ、旦那)

と藤兵衛はおもうのだ。

が、竜馬も、そうすらすらとこの無心が実現するとはおもわない。

「うまくゆきますかねえ」

「やるだけのことだ」

「旦那は、泥棒のうわ手をゆくんだなあ」

「そうかね」

いつに似あわず、表情がにがっぽくなっているのは、こんどの旅行の目的が重すぎるからだ。

（が、やる）

竜馬は、決してその表面からうけるようなあっけらかんとした印象だけの男ではなかった。

次の夜は、北近江の木ノ本の安旅籠《やすはたご》に投宿し、すぐ夕食を出させた。

酒は、田舎徳利に二本。

「藤兵衛、人間はなんのために生きちょるか知っちょるか」

と、竜馬は膳ごしにいった。

「事をなすためじゃ。ただし、事をなすにあたっては、人の真似をしちゃいかん」

世の既成概念をやぶる、というのが真の仕事というものである、と竜馬はいう。だから必要とあれば大名に無心をしてもよい。

竜馬自身がひそかに書きとどめた語録では、「世に生を得るは事を成すにあり」ということばになっている。「人の跡（事績）を慕ったり人の真似をしたりするな。釈迦《しゃか》も孔子《こうし》も、シナ歴朝の創業の帝王も、みな先例のない独創の道をあるいた」

「人の一生というのは、たかが五十年そこそこである。いったん志を抱けば、この志にむかって事が進捗《しんちょく》するような手段のみをとり、いやしくも弱気を発してはいけない。たとえその目的が成就できなくても、その目的への道中で死ぬべきだ。生死は自然現象だからこれを計算に入れてはいけない」

右の意味は、竜馬の持論で、かれはつねづね友人に語っていたが、これを木ノ本の宿で藤兵衛にも語った。

ぶるっ、と藤兵衛の胴がふるえた。竜馬の眼にめずらしく鬼気がある。

竜馬と藤兵衛は、越前福井に入り、城下の大和町の「たばこや」という旅館に投宿した。

ついた早々、

「藤兵衛、つかれているか」

と竜馬はいった。

「へい、いいえ」

強行軍すぎて、さすがの藤兵衛も足腰がねばってあるきづらい。

「ではこの手紙をもって……」

と竜馬は巻紙に筆をはしらせ、

「三岡《みつおか》八郎という藩士のもとにつかいに行って来い。屋敷は城下毛矢町の南はしにある。

奉行役というから、すぐわかるだろう」

と、手わたした。

毛矢町というのは、武家町の一つだが、城南、足羽川《あすわがわ》のむこう岸にあり、遠い。川には現今《いま》でこそ、幸橋という橋がかかっているが、当時は福井城の外ボリの役をはたしていたため、小舟で渡らなければならない。

夜中、藤兵衛もつらかろうと竜馬はおもったが、

(なあに、こいつは夜盗だから)

と、おもいかえした。

藤兵衛が出たあと、竜馬は一合徳利を一気にのみほし、横になった。いびきをとどろかせて、寝てしまった。

一方、藤兵衛は夜の城下を駈け、佐佳枝《さがえ》町の渡しから舟にのり、毛矢町にあがって、岸の舟場町にならんでいる武家屋敷を一軒ずつ物色して、とある門の前に立った。

さすが稼業がらカンのいい男だ。

「こちらは三岡様でございますか」

と門番長屋の窓に問いかけると、そうだ、と声がもどってきた。

「土佐侍従御家来坂本竜馬様のつかいにて参上しました。手紙を持参しております」

「まてまて」

と、門番が、くぐりをあけてくれた。

「いや、御宏壮でございますな」

藤兵衛は、つい稼業の眼でそのあたりを物色してしまう。

玄関の小部屋で待たされた。

やがて、顔の長い巨漢が出てきて、

「そちは、坂本君のご家来か」

ポキポキした越前なまりでいった。

「左様でございます」

「坂本君は、たばこやに御在館だな」

「へい、左様で」

「いまから行こう」

三岡は供に提灯をもたせ、藤兵衛を案内にたてて外へ出た。

眼が、星のように輝いている異相人である。藩の殖産方の奉行をしているというが、手足がたくましく、剣客のようにみえる。

竜馬とは、大坂で会った。

それっきりの縁だが、同気相通じて、いまでは百年の知己のようである。

越前藩士三岡八郎。

のちの由利公正《ゆりきみまさ》(子爵)。五箇条の御誓文《ごせいもん》の起草者といえば、ああ、とうなずかれる読者もあろう。のちに竜馬に推薦されて維新直前の風雲に参加し、明治政府の財政の基礎をつくった男である。

藤兵衛は、三岡八郎とともに、足羽川の渡し舟に乗った。

三岡は、艫《とも》で腕組をしている。

背後に星。

この越前侍の巨大な影が、藤兵衛の眼の位置から仰ぐと、風雲にのぞむ水許伝《すいこでん》中の豪傑のようにみえた。

このくだりは、三岡八郎について語りたい。

はじめは石五郎。当人の風手《ふうぼう》にぴたりの名前だが、やくざの親分のような名前だから当人はきらい、みずから八郎とあらためた。明治後三転して由利公正と改めたことは、すでにのべた。

竜馬より六つ年長で、このとき三十五歳である。

三岡家はもともと表高《おもてだか》百石。これは格式で、実際の高《たか》は三十二石二斗だったから、貧家といっていい。野菜はすべて屋敷うちでつくってたべ、こやしのにおいが邸内にいつもみちていた。

足羽川南岸の毛矢町に居住する藩士はみなこうであったから、家中では、

「毛矢侍」

としていやしめられた。

八郎は、子供のころから手習いや学習がきらいで、百姓仕事ばかりをしていた。べつにほめたことではなく、体をつかうのがすきだったのであろう。

とにかく学問好きな当時の武士としては異例なほうで、漢学の初歩である四書五経の素読を、ひとよりも十年おそく、やっと十八歳でおわったという男である。

そのかわり武術には異常に熱心で、槍は免許同然の腕があり、しかもこの百姓仕事できたえた天性の合理主義者は、自分のあみだしたリクツで独特の槍を発明している。剣は真影流をまなび、十八のとき、五人がかりの試合をいどまれてことごとく倒した、というほどに練りあげた。

しかし二十をすぎてこの男は妙なことに興味をもった。

「わが藩は、何故《なんして》、貧乏なんじゃろ」

事実、越前福井の松平家は、大藩でありながら極端な貧乏で、藩主でさえもめんを着、雲水《うんすい》のような食事をして倹約に倹約をかさねているのに、実効あがらず、百姓のほとんどは米をたべず、麦、イモ、大根を主食にしてくらしている。

「わからんのう」

と、頭をかしげながら、たれから頼まれたのでもないのに、はたちの年から四年間、領内の村村の百姓家をたずね、収穫高《とれだか》を知り、それらと、藩の歳入、歳出をしらべると、おどろくべき結論をえた。

いかに藩がのまず食わずの倹約をしても年間二万両は赤字が出る、ということである。

もっと驚嘆すべきことは、この事実を、藩の勘定方も家老も知らないし、知ったところでどういう手をうてばよいのか、まったくわからなかった。ただ、

「倹約、倹約」

が、唯一の経済政策である。

この武術家は、武術に用いた自分の合理主義を、経済のほうに適用し、みずから工夫する一方、肥後出身の儒者で幕末でもっとも傑出した政治学者である横井小楠《しょうなん》について、当時のいわゆる「実学」をまなんだ。

「いちいち舟とは」

と、藤兵衛はゆれながらいった。

この足羽川のことである。市中を貫流しているくせに、むかしから橋がない。

「不便でございますねえ」

「ふむ」

腕組をしている三岡八郎のびんに、夜風が溜まっている。

「やがて架《か》ける」

ぼそっといった。

話は三岡の前歴にもどるが、この男が、藩公の松平春嶽からひどく目をかけられはじめた点は、その不合理をにくむ精神と、合理化をする才能である。

この時代にあっては勇気の要ることだ。

たとえばこの足羽川にしても、これは福井城の外堀の役をなす、ということで戦術上架橋がゆるされなかった。

ところが、三岡という男のあたまには、いままでの習慣とか、古い権威による不合理、などというものが、素直に入りにくくできている。

「不便」

というのは、逆に三岡にとって絶対のことであった。かれはさかんに上申した。ついに架橋が決定したのは、最近のことである。

三岡のここ五、六年来の藩における職歴をならべると、ふりだしは小銃・弾薬の製造掛からで、ついで兵器御製造所頭取、御造船掛、長崎での蔵屋敷設置方、物産総会所の設立といったもので、越前福井藩の近代化の面をうけもった。

そしていまは御奉行。

竜馬が、かつて大坂で三岡八郎と会って感心したのは、

「金銭がわかる武士」

ということであった。

しかもそれだけではなく、

「尊王攘夷は念仏ではない。産業を興し、船舶をつくることだ」

といった考えかたである。

「お前《まん》とわしはおンなじじゃ」

と、竜馬は手をとってよろこんだ。当時の世情からいえば、ふたりともよほど風変りな「尊王攘夷志士」であった。

この稀少意見の両人のあいだには、もはや肉親よりも相近い感情がながれている。

やがて対岸に上陸し、大いそぎで街路を歩いた。

旅籠「たばこや」の土間に入ると、三岡は案内も乞わずに二階へあがった。廊下をどかどかと歩きながら、

「坂本君、どこにいる」

と、どなった。

「ここだ」

竜馬は、起きあがった。

「なんだ、ねむっていたのか」

「京都から急行で歩いてきた。ろくにねむっちょらん。あす、藩公に会えるか」

「手紙で読んだ。借りるのは、五千両？」

「いかにも。指一本欠けてもならん」

竜馬は右掌《みぎて》の指を五本ひろげた。

「むずかしいな」

むずかしい、と三岡がいったのは、この理財にあかるい男はいま藩庫に何両の金があるかを知っていたからである。

が、竜馬は、

「これだけの大藩で、五千両の金がないはずがあるまい」

と、押し込み強盗のようなことをいった。

それだけではなく、五千両で日本がうまれかわる、ということをトウトウと説きはじめたのである。

竜馬の雄弁というのは、当時、二つの点で有名だった。

ひとつは、さかんに譬《たと》えばなしをひく。それが卑俗で、じつにユーモアがあり、のちに筑前の大宰府《だざいふ》に閉居中の三条実美《さねとみ》卿を中岡慎太郎とたずねたとき、謹直な三条卿が、タタミにころがって笑ったという。

いまひとつは、議論に夢中になってくると無心に羽織のヒモを解きはじめる。解いてそれを口にくわえるのだ。房をニチャニチャ嚙みながらやる。

嚙んでひっぱっては、天下を論ずる。ついには、ヒモはべっとりと濡れるのだが、さらに興に入ってくると、それをぐるぐるふりまわすのである。

房から、つばがとぶ。

相手は、雨に遭っているようなものだ。

「それだけはよせ」

と相手がいうと、アアそうか、と気づくのだが、またどんどんふりまわす。最後には相手は濡れっぱなしになっているしかしかたがない。

「顔が濡れてのう」

と、西郷なども閉口したという。

三岡の前で、竜馬はこれをやった。

「海軍学校の設立のために、なぜ越前福井藩が金を出さねばならんか、おぬしがそういうならそれは餓鬼道《がきどう》のリクツじゃ。そんなことをいうならこの坂本竜馬も、なんのために身命をかえりみず国事に奔走し、なんのために越前くんだりまで金を借りに来ねばならぬかということになる」

「待て待て」

三岡は顔をふきながら、

「わしはわが藩が金を出すのは筋ちがいじゃとは申しておらんぞ。越前福井藩は、明主春嶽公以下、餓鬼道のリクツはいわぬ。天下のためなら藩をつぶしてもよい」

といわざるをえない。もともと三岡八郎は御親藩の家来ながら、ひそかに幕府をのぞいた新統一国家を考えている男だ。藩がそのために消滅してもいい。

「だが、五千両の金がない」

「茶道具があろう。刀剣もあろう。それを売って作ればよい」

「負けたな」

三岡は顔をぬぐって、ぬぐった袖の下から笑顔をみせた。

「よし、金は調達する。あす藩公に会え。しかし藩公の前ではその羽織のヒモはよせ」

「いうことをきかんなら、やる」

「厭やなやつだな」

三岡は、酒器をとりあげた。

竜馬は受けた。ふたりが沈黙すると、越前の天地が急に静かになったような観がある。

越前福井侯松平春嶽というひとは、以前にものべたが、諸侯きっての秀才である。たんに秀才ではない。容貌のやさしさに似ず、旧習を屁ともおもっていない豪儀さと、いい案は多少の弊害があってもどんどんとりあげてゆく度胸が、うまれついてそなわっている。

「竜馬か」

と、座についた早々、この越前の殿様はくすくす笑った。

なぜか、この殿様は、竜馬の顔をみると愉快でおかしくなってくるのである。

竜馬は、しかつめらしく平伏したまま、

「あのせつは」

と、お礼をぶつぶつ申しのべた。脱藩の罪帳消しの仲介を、この殿様は、勝海舟とは別コースでやってくれたのである。

「顔をあげよ。ゆうべは当家の三岡に大法螺《おおぼら》をふいたそうだな」

「ほ、ほらではございませぬ」

「三岡がこう申していた。竜馬の議論はともかく、羽織のヒモからつばが飛ぶのには閉口し、ついつい五千両を出す約束をしてしまいました、と。そういえば、そちの羽織のヒモは、噛みちぎれて房がなくなってしまっている」

「……………」

越前の殿様はたまりかねて噴きだし、

「羽織のヒモで五千両とは、えらいものだ」

それが、承諾の言葉だ。

竜馬は、はっと平伏し、

「ありがとうございます」

といったが、その言葉じりから、

「利益はまっさきに、殿様のもとにもってまいります」

にこにこといった。

勝海舟と竜馬の案では、京都に集まっている勤王浪人や諸藩の下級武士を海軍学校に入れて軍艦・商船の操法に馴れさせたあげく、その船をもって西洋式回船問屋をやり、国内の諸藩貿易だけでなく、海外貿易までやろうというのだ。

「利益」

とは、その浪人会社の利潤のことである。

要するに、竜馬とすれば、五千両はタダもらうのではない、投資である、ということであった。

こういう商社の作りかたは、単なる土佐っぽの竜馬のあたまから湧くはずがない。海外事情にあかるい勝海舟は、すでに、

「株式会社」

というものを知っていた。

「欧米人が大仕事をするのは、金のあるやつは金を出し、仕事ができるやつは仕事をする、そういう組織があるからだ」

と竜馬に教えたからである。

竜馬はそのときひざをたたいてよろこび、

「それをやりましょう。京都で刃物三昧《はものざんまい》にあけくれている連中をあつめて、金のタマゴをうませる」

といった。海軍学校というより、商船学校というべきものである。さらには商船会社というべきものであった。

明治後、竜馬のこの事業の利益活動面だけが岩崎弥太郎にひきつがれ、こんにちの三菱会社の発祥になっている。

竜馬は京にもどると、藩邸で一泊し、翌日は兵庫へむけて発足《ほっそく》した。家来藤兵衛をつれて、とっとと東山《ひがしやま》山麓の街道を南下しはじめた。

首すじが、相つぐ旅行で真黒にやけている。

「旦那は、お達者でようござんすねえ」

寝待ノ藤兵衛は、つい皮肉の一つもいってみたくなる。

「藤兵衛、疲れたのか」

「なあに、たいしたことはない」

兵庫へゆく。

この地にはすでに勝海舟が物色した敷地があり、粗末ながら寮舎もそろそろできあがるはずだ。

その監督かたがた、兵庫の素封《そほう》家生島家にとまっている勝に会うためである。

「藤兵衛、お前もわしの船に乗るか」

「旦那となら、どこまでも行きますよ。なにかの因縁《いんねん》だ、仕様がねえじゃねえか」

藤兵衛はほっと溜め息をついている。

「わしはね、幕府を倒して日本に歴とした国家をつくりしだい、唐、天竺《てんじく》（インド）、アメリカまでも商売に押し出すつもりだ。日本は国が狭いから、船と商売でかせぐ以外に立国《りっこく》の方法がない」

「旦那は、そこらの勤王屋とはすこし肌がちがうんだなあ」

藤兵衛は、竜馬の虹《にじ》のような気焔をきくともうこの男のためなら命も惜しくないとおもえてくる。

妙法院のながい塀をすぎ、今熊野《いまくまの》のやしろの森を通りすぎると、急に天がひろくなる。

伏見へは、ひる前についた。

「寺田屋で、ひるめしを食おう」

そのじつ、竜馬はおりょうに会いたい。

(変な娘だな)

へんな動物でも鑑賞するような気持が、ただいまのところの正直な気持である。

そのころおりょうは、お登勢が親類の法事に出かけたために、帳場をあずかっていた。

もう、すっかり初夏といっていい。

帳場にすわって、戸外をぼんやり見ていると、前の舟着場《はま》の水照りが紺のれんにうつって、ゆらゆらと動いている。

唐物《とうぶつ》の幻燈をみるようだ。

(坂本さまはどうしているかな)

紺のれんに、竜馬がうつっているような気がする。

(変なひとだ)

くすっと笑いが胸もとからこみあげてくるのである。

竜馬だけが変ではなく、ここのお登勢さんもかわっているし、土佐藩邸にいる竜馬の友人たちも風変りだし、ここの仲間はどの男女もいままでおりょうの接してきた世界にはいない人物である。

小さな自分の利益に固執していない。

(妙なひとたちだ)

おりょうは、はじめは池の魚がいきなり海にはなたれたような戸まどいを感じたが、だんだん馴れてきた。

(それにしても坂本様とは、何をするひとだろうか)

ぱっとその陽ざしが翳《かげ》って、

「やあ、こんにちは」

と、竜馬の長身が入ってきた。

おりょうは、息がとまるほど驚いた。

たったいま考えていた相手が、想念の中からぬけだすようにして、そこに立っているではないか。

が、云うことが幻滅だった。

「腹がへった」

死にそうじゃ、とわらじをぬいでいる。

「すぐ支度します」

と、おりょうは帳場を立とうとした。

竜馬はのそっとあがった。

「すっかり帳場の姿が板についたなあ」

「まあ、そんな」

おりょうは、まつげを伏せた。妙なことにこの竜馬の前に出ると、おりょうはわれにもなくしとやかになってしまう。

（どういうわけかしら）

自分が、腹だたしいくらいだ。

竜馬も、内心ふしぎがっている。京の良家の娘のくせに、大坂くんだりまで行って無頼漢のほおげたをひっぱたいたという例の一件が、想像もできない。

「越前ではおりょうさんの夢をみたよ」

（えっ？）

と土間でふりかえったのは、藤兵衛である。

（旦那はこの娘が好きなんだな）

「いやひょっとすると」

と竜馬が、おりょうに話しかけている。

「人違いかな。大きなガラガラ声で話していたところをみると、あの夢に出てきた変な女性はおかみのお登勢さんだったかもしれない」

（まあ、ばかにしている）

しかし腹もたたない。

「とにかくめしをたのむ」

「ええ、ただいま」

おりょうは、帳場を立って奥へののれんを分けようとした。

そのうなじが、ひどく白い。

「ちょっと待っておくれ」

「なにか御用ですか」

「うん、ここへ来ておくれ」

竜馬は、きな臭い顔だ。

（なにかしら）

おりょうが立ったままそばへ寄ると、竜馬は藤兵衛のほうをむいて、

「おれは、このおりょうさんを好きらしい。きっと、嫁にするつもりじゃ」

「へーえ、左様で」

と藤兵衛はあいさつするしかない。

「先方はどうかわからんが、お前からもよく頼んでおいてくれ」

真顔だからこまる。

「弱りましたな」

と藤兵衛が苦笑すると、竜馬はいきなりおりょうの腰に手をかけて抱きあげた。

「あっ」

という間もない。おりょうは恥ずかしさで、空中で眼があけていられない。

白昼、人も見ている。

武士たる者が、堂々たる抱擁である。三百年の儒教的伝統は、竜馬にさしたる影響もあたえていないらしい。

存外軽い、と竜馬は抱きおろした。おりょうは袂《たもと》で顔をおおって逃げこんでしまった。

ひるめしになった。

「藤兵衛、ここで食え」

と、竜馬は自分の横の畳をたたいた。主従別々の場所でめしを食うというのは、竜馬はあまりこのまなかった。

「アメリカでは、馬の口取りが将軍や大名を選ぶんだぞ」

むろん、勝の受け売りである。しかし竜馬はよほど気に入っているらしく、ちかごろ口ぐせのようにいう。

藤兵衛も心得たもので、

「ではアメリカ将軍で行きますか」

と、竜馬の横にすわった。

「アメリカ将軍て、なんのことでございますか」

おりょうにはわからない。

竜馬は、

「アメリカという姉ちゃんはだな」

と、人民平等思想を説きだした。竜馬の発音でいう姉ちゃんとは「集合的な意味での国民」つまり、ネーションのつもりである。

「みな札《ふだ》入《い》れ（選挙）できるのさ」

「姉ちゃんが札入れですか？」

「そうだ」

おりょうは、きょとんとしている。

「ワシントンというのは、ヴァージニア州の未亡人《やもめ》の子だそうだ」

竜馬は、突拍子もなくいう。

「測量技師だったが、こいつは兵隊を動かすのがうまいというので武士になり、だんだん大将になった。それまでアメリカは英国の属国だったが、英軍と戦って何度も敗《ま》け、最後に勝ってアメリカを独立させ、初代大統領になった。日本でいえば徳川家康だ。ところがその子孫は大統領でない。徳川家とはちがう」

「まあ」

おりょうは、ふしぎな顔をした。

「日本では、戦国時代に領地をとった将軍、大名、武士が、二百数十年、無為徒食《むいとしょく》して威張りちらしてきた。政治というものは、一家一門の利益のためにやるものだということになっている。アメリカでは、大統領が下駄屋の暮らしの立つような政治をする。なぜといえば、下駄屋どもが大統領をえらぶからだ。おれはそういう日本をつくる」

竜馬のこの思想は、かれの仲間の「勤王の志士」にはまったくなかったもので、この一事のために、竜馬は、維新史上、輝ける奇蹟といわれる。

めしを食いおわると、竜馬は大刀をとりあげて、部屋を出た。

「どこへいらっしゃいます」

おりょうは、肩すかしを食ったようなおもいである。

「兵庫へ。——」

竜馬は、かまちに腰をおろして、あたらしいわらじをはいた。

「お泊りにならずに？」

「また来る」

竜馬は、右肩をちょっとゆすって、ゆっくりと真昼の陽ざしのなかへ出て行った。

街道に、軽塵が舞いあがっている。おりょうが軒下に走り出たとき、竜馬の影はすでに小さくなっていた。

「司馬遼太郎記念館」への招待

司馬遼太郎記念館は自宅と隣接地に建てられた安藤忠雄氏設計の建物で構成されている。広さは、約2300平方メートル。2001年11月に開館した。

数々の作品が生まれた自宅の書斎、四季の変化を見せる雑木林風の自宅の庭、高さ11メートル、地下1階から地上2階までの三層吹き抜けの壁面に、資料本や自著本など2万余冊が収納されている大書架、……などから一人の作家の精神を感じ取っていただく構成になっている。展示中心の見る記念館というより、感じる記念館ということを意図した。この空間で、わずかでもいい、ゆとりの時間をもっていただき、来館者ご自身が思い思いにしばし考える時間をもっていただきたい、という願いを込めている。　（館長　上村洋行）

利用案内

所 在 地　大阪府東大阪市下小阪3丁目11番18号　〒577-0803
T E L　06-6726-3860 , 06-6726-3859（友の会）
H　P　http://www.shibazaidan.or.jp
開館時間　10:00～17:00（入館受付は16:30まで）
休 館 日　毎週月曜日（祝日・振替休日の場合は翌日が休館）
特別資料整理期間（9/1～10）、年末・年始（12/28～1/4）
※その他臨時に休館することがあります。

入館料

	一　般	団　体
大人	500円	400円
高・中学生	300円	240円
小学生	200円	160円

※団体は20名以上
※障害者手帳を持参の方は無料

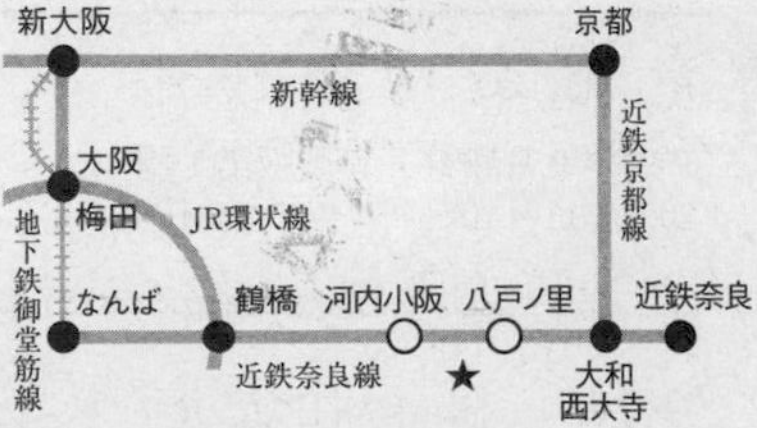

アクセス　近鉄奈良線「河内小阪駅」下車、徒歩12分。「八戸ノ里駅」下車、徒歩8分。
Ⓟ5台　大型バスは近くに無料一時駐車場あり。但し事前にご連絡ください。

記念館友の会　ご案内

友の会は司馬作品を愛し、記念館を支えてくださる会員の皆さんとのコミュニケーションの場です。会員になると、会誌「遼」（年4回発行）をお届けします。また、講演会、交流会、ツアーなど、館の行事に会員価格で参加できるなどの特典があります。

年会費　一般会員3000円　サポート会員1万円　企業サポート会員5万円
お申し込み、お問い合わせは友の会事務局まで
TEL 06-6726-3859　FAX 06-6726-3856

文春文庫

竜《りよう》馬《ま》がゆく（三）

定価はカバーに
表示してあります

1998年9月10日　新装版第1刷
2009年11月10日　第21刷

著　者　司《し》馬《ば》遼《りよう》太《た》郎《ろう》
発行者　村上和宏
発行所　株式会社　文藝春秋

東京都千代田区紀尾井町 3-23　〒102-8008
TEL 03・3265・1211
文藝春秋ホームページ　http://www.bunshun.co.jp
落丁、乱丁本は、お手数ですが小社製作部宛お送り下さい。送料小社負担でお取替致します。

印刷・凸版印刷　製本・加藤製本
Printed in Japan
ISBN978-4-16-710569-3